議論の極意

どんな相手にも言い負かされない30の鉄則

紀藤正樹

SB新書
632

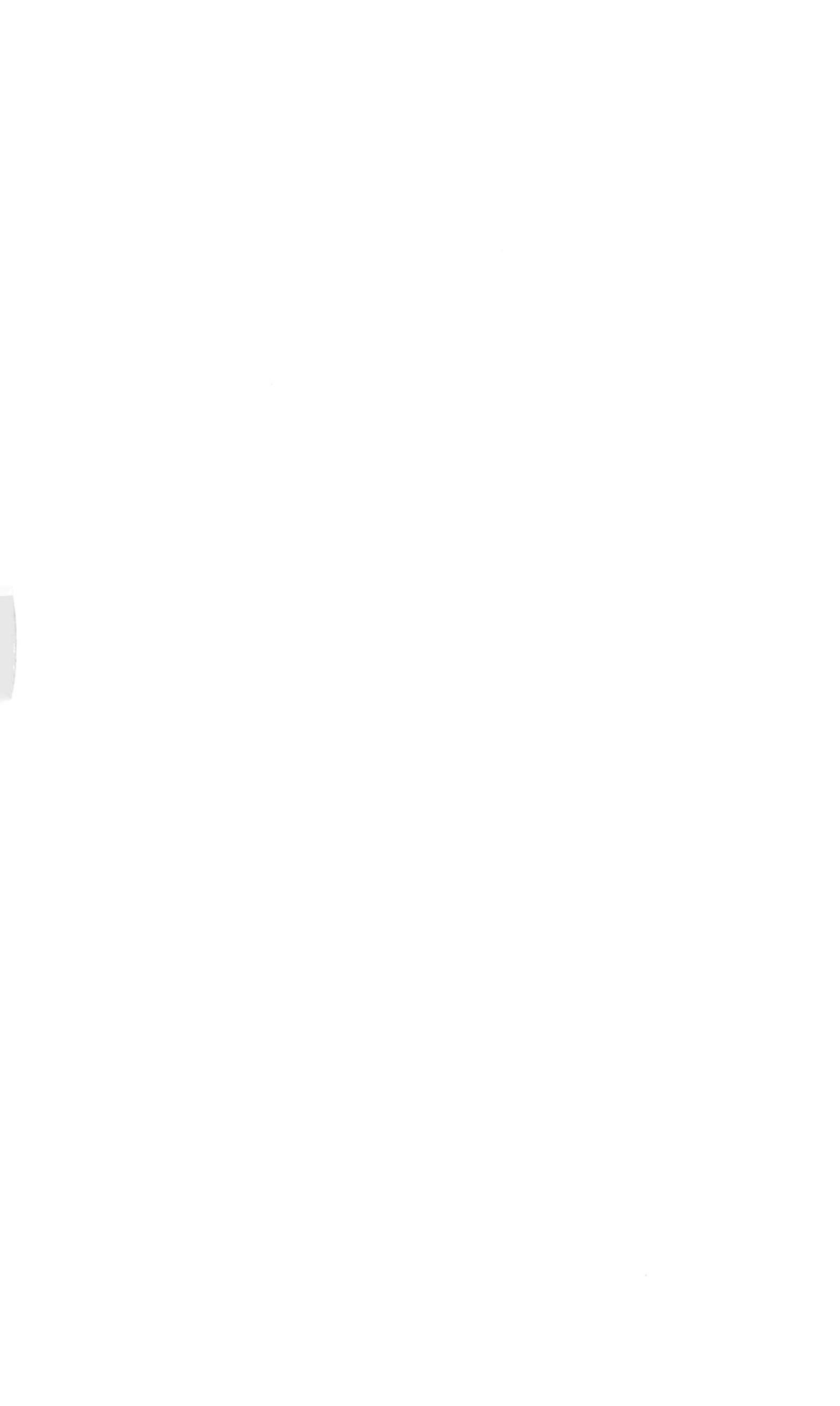

はじめに

どんな相手にも「言い負かされない」必須スキル

テレビや雑誌に加えて、SNS（ソーシャル・ネットワーキング・サービス）という発信ツールが普及したことで、ここ十数年来、私たちの言論空間は大きく変化してきました。ひとことで言えば、現代は「誰もが自由に広く発信できる時代」であり、それに伴って日本社会は「一億総〝発信〟社会」になっています。

「言論の自由」という観点では、一部の有力者や言論人、識者だけでなく、万人に自分の言葉を広く発信する機会が開かれたことは、好ましい変化と言ってよいのかもしれません。

一方、誰もが自由に広く発信できる言論空間では、「成熟した言論」も「未熟な言論」もごちゃまぜになっていることも否めません。もっといえば、未熟な言論のほうが圧倒的に多く、とうてい「議論」とは呼べない言葉の投げつけ合いが、しばしば繰り広げられています。

そこでは、どうしても「相手を言いくるめることに長けている人」「自信たっぷりで声の大きい人」の発言力が強くなりがちです。「ロジックらしきもの」で相手の言い分を一刀両断したり、強い語調で言い切ったりする人の言葉が注目を集め、何となく「正しい」と認識されるようになっています。

結果として、相手の言い分にも耳を傾け、理解しようと努めつつ自分の意見を述べる……このように努めている人たちの声は、あっという間に、次から次へと繰り出される言葉の渦にかき消されてしまいます。

私は、こうした「相手を言いくるめた者勝ち」「強く言った者勝ち」という言論空間が発生している現状に、強い疑問と懸念を抱き、本書のために筆をとりました。

考え方の異なる他者と意見を交わし、対話を進める

当然のことながら、相手を言いくるめることに長けている人、強い語調で言い切る人が「正しい」とはかぎりません。そういう人たちの発言力に流されず、自分の意見をもつためには、「論理的にものを考える力」が必要です。

もとより日本人には、自分の意見を述べる、意見を交わすという行為を苦手とする人が多いように見受けられますが、論理に基づく「議論の極意」こそ、これからの社会を生き抜く必須スキルなのです。

議論とは、自分と意見の異なる人を攻撃することではなく、相手と意見を交わし、対話を進めることです。たとえ意見の相違があっても、対話を通じて相互理解を深め、合意形成に向かうことができる。だから議論することには価値があるのです。

議論の終着点として、相手を翻意させ、自分の意見や希望を実現していくことをめざす場合もあるでしょう。でも、それは議論の本質ではありません。あくまでも議論は、「相手と意見を交わし、対話を進めるための有効なアプローチ法」だからです。と

きには議論を通じ、自分の意見のほうが変わったという方もおられると思います。

したがって、本書で述べていくのは、「相手を言い負かす技法」ではなく、「対話を進める技法」です。大見出しから始まる項目と3つのトレーニング、合わせて30の心得をお伝えします。

筋道を立てて自分の意見を述べる、相手の理屈を理解する、あるいは相手の理屈のゆがみを見抜き、流されないようにする。これらの技法を、ごく基本的な論理学に基づいてお話しししていきます。

議論に弱い人は「不自然なロジック」に翻弄されやすい

私は弁護士として、約30年以上にわたり、人々を言葉巧みに陥れる悪質業者やカルト的な団体と対峙してきました。本書では、「カルト」は「違法行為もしくは反社会的な活動を繰り返し行う団体」を指します。

こうした集団に共通しているのは、「不自然なロジックを弄して人心を絡め取ること」。自分たちに利する行動をとるよう、相手を言いくるめる術に長けていることです。そして、議論に弱い人ほど、そういう術法に絡め取られやすいといってよいでしょう。

議論に弱いのは、「理屈でものを考えることに慣れていない」ということです。そのために、感情的な弱みにつけ込まれやすいのです。

そんな弱点を解消するためにも、「議論の極意」を身につけることは有効です。というのも、悪質業者やカルト団体は、いつなんどき、忍び寄ってくるかわからないからです。

そして、自分たちに利する行動をとるよう、相手を言いくるめる術を弄してくるのは、こうした集団だけではありません。

上司、同僚、取引先、家族、ママ友、ご近所さんといった身近な人たち、ＳＮＳという未成熟な言論空間で揚げ足を取ろうとする人たち……。ゆがんだ論法で相手を陥れたり、コントロールしようとしたり、攻撃したりする人には、残念ながら仕事でもプライベートでも、誰しもが必ず遭遇するものなのです。

実際に私が対峙してきた悪質業者やカルト団体は、詐欺や脅迫などの単純な手口を使うだけでなく、次のように大きく6つに分けることができる、より洗練された手口を駆使してきます。

これは、人の心理を動かす6つの手法として、『影響力の武器』（ロバート・B・チャルディーニ著、社会行動研究会訳、誠信書房）で述べられているものですが、どれも特殊な手口ではなく、マーケティングでもよく使われるものとして、ごく普通の人間心理につけ入る術であることが見てとれるでしょう。つまり、日常的な人づき合いのなかで、知らないうちに、同様の手口がみなさんに対して駆使され、悪用される可能性があるということです。ですから、日頃から私たちは注意をしておく必要があります。

【手口1】「返報性の心理」を悪用する

「人から何かしらの施しを受けたら、返さなくてはいけない」という心理（返報性の心理）を利用し、先に何かを与えることで行動をコントロールしようとします。

・悪質業者の場合――「無料」のセミナーや研修会を提供し、参加者に高額な商品の購入や新規参加者の勧誘を要求する。

・カルト団体の場合――勧誘相手に「無料」で参加できる研修会や講演会を提供し、入信や献金を要求する。

【手口2】「希少性」をアピールする

「希少なもの」に価値を見出す人間心理を利用し、「希少なもの（人）に触れられる自分は特別な存在」と思わせます。

・悪質業者の場合――「特別な」情報やノウハウが得られると主張し、高額なセミナーやコンサルティングサービスを売り込む。

・カルト団体の場合――教祖の霊的能力を「ほかにはないもの」と強調したり、「今日はめったに会えないすごい人のお話が聞ける」と誘ったりして入信を促す。

【手口3】「権威性」で人を取り込む

「権威に弱い」という人間心理を利用し、何らかの権威を誇示して信用を得ようとします。

・悪質業者の場合――専門家や著名人、権威的な肩書をもつ人の推薦文を利用して商品を売り込む。
・カルト団体の場合――教団創設者を絶対的な権威として扱い、信者を従属させる。

【手口4】「コミットメントと一貫性」を要求する

最初に言葉巧みにコミットさせ（関わり合いをもたせて）、「いったんこうして関わったのだから」と、より強く一貫性を求めます。

・悪質業者の場合――契約後に、さらなる商品購入や新規参加者の勧誘を求める。
・カルト団体の場合――入会時に誓約書にサインさせる。教義を伝える施設に勧誘相手を誘い込み、感想文を書かせて取り込もうとする。

【手口5】「好意」で断りづらくする

「好意」を示し、「断りづらい状況」をつくってから、自分たちに利益のある行動へと誘導します。

・悪質業者の場合――友人や知人を利用して商品を売り込む。
・カルト団体の場合――新規参加者を「歓迎」し、「親切な態度」でサポートするなどして心を開かせる。教団が提供する慈善活動やコミュニティサービスを通じて信者に好意を示し、教団への信頼感を高める。

【手口6】「社会的証明」で人を取り込む

「みんな（もしくは有名人や著名人）がやっていること」「みんな（もしくは有名人や著名人）が考えていること」を正しいものと信じ込ませ、したがわせます。

・悪質業者の場合――「参加者は成功している」というストーリー、虚偽の成功例、偽の高評価の口コミなどを「社会的証明」として強調する。
・カルト団体の場合――メンバー間で絶対的な信仰が共有され、外部からの批判に対しても一致団結して立ち向かう様子や、著名人が信者であること、賛同していることなどを「社会的証明」として強調する。

私は、苦しい思いをしてきた被害者や依頼者のために、長年、こうした手口を弄する団体と渡り合い、議論を重ねてきました。私の実体験に基づくノウハウは、読者のみなさんの日々の生活においても役立つのではないかと思います。

他者と意見を交わし、対話する。自分とは異なる見方・考え方をする相手とも建設的に話し合い、合意形成に至る。そのうえで自分の考えを実現していく。同時に、忍び寄る悪質業者やカルト団体から、身を守るスキルを身につける。ひいては国民、市民ひとりひとりがよりよい民主主義の社会をつくっていく。

本書が、そんな「議論の極意」を身につけるきっかけとなれば、著者として望外の喜びです。

紀藤正樹

議論の極意　目次

はじめに……3
どんな相手にも「言い負かされない」必須スキル／考え方の異なる他者と意見を交わし、対話を進める／議論に弱い人は「不自然なロジック」に翻弄されやすい

第1章　議論とは何か——屁理屈、詭弁に負けないために

議論は「発言」から始まる……22
積極的に質問する欧米人、聞き手に徹する日本人／「議論」は対話の一形態

「大きい声」が正しいとはかぎらない……26
その理屈は、筋が通っているか／しっかりした理屈で対抗する

「意見」とは「価値観＋理屈」……30
「価値観」は十人十色／「理屈」がなければ意見ではない

意見の拠り所は自分の「価値観」 ……34
人は、価値観の部分で対立する／「理屈至上主義」になってはいけない

価値観を伴わない理屈は「屁理屈」 ……38
価値観は自分の意見を貫く「背骨」／死刑制度について考える／殺人はダメだけど死刑はよい？

「会話占有率」を意識する ……44
先に相手に多く話してもらう／相手が誤解しているとき

議論の基本構造 ……48
「大前提」に「小前提」を入れると、「結論」が出る

納得できない結論に反論する ……52
反論には2種類ある／反論法①「例外的事情」を取り込む／反論法②「大前提」を動かす／論理の破綻を見抜く

相手の「大前提」を疑う……62
その三段論法は正しいのか／理屈のカラクリを見破る
相手の「価値観のゆがみ」を見抜く……70
意見が対立するとき、しないとき／「要注意人物」の見分け方
小前提が大前提を覆すとき……74
価値観を使い分ける／大前提を覆す「新しい事実」／「父親を殺すしかない」

第2章 基本編 議論力の土台をつくる──「三段論法」トレーニング

不完全な三段論法に注意する……84
三段論法で陥りがちな3つの誤り
議論力トレーニング1 大前提と小前提から「結論」を考える……92
シンプルな構造を頭に叩き込む

トレーニング問題① トレーニング問題② トレーニング問題③
法律の基本構造も、三段論法

議論力トレーニング2
「大前提」と「小前提」を類推する …… 98
小前提と結論から「大前提」を類推する
トレーニング問題④ トレーニング問題⑤
大前提と結論から「小前提」を類推する
トレーニング問題⑥ トレーニング問題⑦ トレーニング問題⑧

議論力トレーニング3
合意形成に導く …… 106
日常生活でも三段論法は役に立つ／大前提の相違をすり合わせて合意に至る
トレーニング問題⑨ トレーニング問題⑩ トレーニング問題⑪

価値観の対立を乗り越える …… 118
「好き嫌い」では、議論にならない／理屈でなく熱意を示すこともある／見落としている事実はないか

第３章　応用編　議論を有利に進める――弁護士が実践する論理テクニック

「事実」の見極めが、議論上手の鍵……126

事実とは「誰が見ても同じこと」／悪意や妄想が事実をゆがめる／「数の論理」で事実をとらえてはいけない

弁護士が実践している事実の扱い方……134

「事実」が判決を左右する／事実の扱いに強弱をつける／「伝える順番」の工夫で、印象が変わる／マインド・コントロールに使われる手口

「事実」を正確に伝える……142

事実ほど強いものはない／徹底的に事実を突き詰め、伝える

「意見」とは「仮説」である……146

意見は時と場合次第で変わるもの／絶対に正解といえる意見は存在しない

「それは主観ですよね」と言ってはいけない……150
「論理の希釈」は厳禁／罵倒句など「反論できない言葉」は使わない／「あなたはわかっていない」もNG
「特殊事例」を拡大解釈しない……156
例外は、あくまでも例外として扱う／特殊事例を拡大解釈すると結論を誤る
「建設的な質問」をする……162
「愚問」とは何か／「何のための質問か」を明示する

第4章　議論力を磨く習慣——異なる価値観に触れ、謙虚に学ぶ

議論力の源泉は「事実」と「知識」……168
トンデモ理論に陥る人／疑似体験で「源泉」を蓄える
「トンデモ本」に騙されない読書法……172

まずは「5冊」、手に取ってみる／良書との出合い方

たしかな知識、正しい事実を得る方法 ……176
本は動画よりも時間効率がよい／事実を知るために新聞を読む／虚偽の投稿を見抜く

ネットは「賢者をより賢く」「愚者をより愚かに」するツール ……182
「○○さんも言っている」を鵜呑みにしない／エコーチェンバー病に注意

「異なる価値観の人」と交流する ……186
「心地よい人とつき合う」ことのデメリット／「違和感がある人」とあえて対話する

「この人はなぜこんなことを言うのか」を考える ……190
「他人の意見」は、まず聞く／「違和感がある意見」の理屈を考えてみる

知ったかぶりをしない……194
「素人知識」を振りかざさない／謙虚な姿勢で学ぶ

おわりに……198

議論力トレーニング問題解答集……201

第1章

議論とは何か

――屁理屈、詭弁に負けないために

議論は「発言」から始まる

積極的に質問する欧米人、聞き手に徹する日本人

日本人は一般的に議論があまり得意でないと言われます。

会社の会議や取引先との打ち合わせ、町内会やマンションの会合、ママ友の集まり、あるいは家族や友人との話し合いなど、私たちはいろいろな場面で「議論」をします。

しかし、実際のところはどうでしょう。問題を解決したり、対立を乗り越えて合意したり、相互の理解を深めたりしようとするときに、積極的に自分の意見を伝えて議論できていると実感している人はそれほど多くはないと思います。その場の雰囲気に流されそうになったり、受け身になったりしがちな人も多いのではないでしょうか。

私は、欧米で講演や講義をするとき、「日本とはずいぶん違うな」と感じることがあります。参加者たちは、私が話している途中でも、わからないところがあれば遠慮なく手を挙げて発言するのです。

講演者によっては話を中断されることを不快に思うかもしれません。でも、参加者は、わからないところをわからないままにしていたら、あとに続く話が理解できなくなってしまいます。そうなるのは不本意なので、私自身は講演中であっても基本的に質問を歓迎しています。

こうした光景はまず日本では見られません。とくに大学での講義では顕著です。日本の学生には、「先生の話を聞く」→「わからないところはあとでまとめて聞く」というスタイルが定着しているからです。一般向けの講演などでも同様です。

とはいえ、講演終了後の質疑応答の時間にも、盛んに質問が寄せられることはあまりありません。それを「私の話をすべて理解してもらえたのだ」と受け取るのは楽天的すぎます。参加者はおそらく、わからなかったところも疑問に感じたところも胸に抱えたまま帰路についているのでしょう。コミュニケーションが一方通行のまま終わっているケースが大半ではないでしょうか。私は、このようなところにも、「議論が苦手な日本人の姿」が表れているように思います。

「議論」は対話の一形態

「議論」とは対話の一形態です。対話は、相手との言葉のキャッチボールによって成立します。途中でわからないことや疑問に思うことがあれば、そのつど相手に質問を投げかけて返答を得る。そうやって議論は形成されます。

これが自然にできるようになるには訓練が必要です。欧米の人たちが盛んに質問を寄せてくるのは、幼少期から、さまざまな場面で「あなたはどう思うのか？」と問われてきたからでしょう。

一方、日本人の多くは「先生の話をよく聞きましょう」と言われて育ちます。意見はおろか、わからないことや疑問に思ったことを相手に投げかける訓練を受けていません。その結果、相手の言うことに自分の意見や疑問を差し挟む行為を、悪い態度、失礼な態度であるかのようにとらえ、避けようとする性質すら生じてしまいました。

上司など自分より立場が上の人の意見にはしたがうべきであり、異議を唱えると、覚えが悪くなって昇進が遅くなる……という悪しき風潮も根強く残っています。

これでは議論が下手でも仕方ありません。日本人は「相手の話を一方的に受け取る」「相手が話したとおりに理解しようとする」という傾向が強く、相手の話に「能動的に耳を傾けること」「批判的に受け止めること」「相手の意見を受けて建設的にものを考えること」が苦手なのです。意見を言わない風土のある日本では、意見を言う人は、次項で述べる「声の大きな人」ばかりになります。

相手の話を能動的に受け止め、発言することから議論は始まるのです。

まとめ

- **「議論」は対話の一形態。相手との言葉のキャッチボールによって成立する。**
- **途中でわからないことがあれば、そのつど相手に質問を投げかけて返答を得る。**
- **相手の意見を受けて建設的にものを考え、発言することが大切。**

「大きい声」が正しいとはかぎらない

その理屈は、筋が通っているか

ここで1つ、ありがちな光景を思い出してください。

会社の会議、町内会、ママ友の集まり、家族での話し合い——複数の人と話し合いをして何かを決めようとするとき、「声の大きな人」の意見が通りがちだと感じたことはありませんか？

「声が大きい」というのは、話し声の大きさだけではありません。態度が大きい、断定と断言が多い、身振り手振りが大きい、あるいは話の主語（「みんなが」「全員が」「多くの人が」など）が大きいといったことまで含みます。そうした人は押しが強く、威圧

「大きい声」を疑う

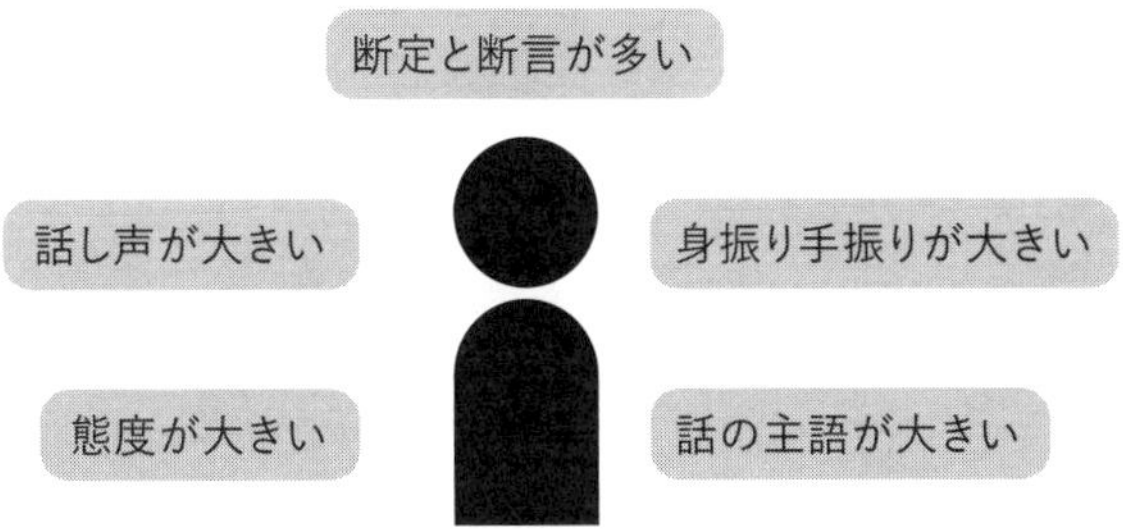

「意見の言い方」と「意見の正しさ」には何の関係もない

的です。

こういう人がいると、自分が異なる意見をもっていても、ろくに議論をしないまま、何となく言い負かされた感じになります。場の雰囲気も、声の大きな人の意見が正しいかのようになって、その意見が通りがちです。

もともと、人と異なる意見を言うことに抵抗感があり、議論慣れしていない人は、「大きな声」で意見を言われると、それが正しく聞こえてしまうかもしれません。

しかし、考えてみれば当たり前のことですが、「意見の言い方（言うときの声や態度の大きさ）」と「意見の正しさ」には何の関係もありません。

「みんなの意見」や「多くの人の意見」が正しいとはかぎりません。数の論理で事実が決まるわけではないし、数が正しい評価ともかぎりません。そして「声の大きい人」が議論に強いわけでもありません。

声の大きな人が「議論に強い」ように見えるのは、本当に筋の通ったこと、正しいことを言っているからではなく、ただ「声が大きい」がゆえに、意見が通りやすいからにすぎないのです。

もっといえば、私たちが「声の大きな人に流されがちな人たち」に囲まれているからです。

もし、「声の大きな人の意見に流されない人たち」ばかりだったら、そう簡単に意見は通らないし、その人が正しいようにも議論に強いようにも見えないでしょう。

しっかりした理屈で対抗する

声が大きいからといって「議論に強い」わけでもありません。

相手の押しの強さに負けないよう、たとえ場の雰囲気が「この人が正しい」という感じになっても流されないように、この点をしっかり押さえておきましょう。

これは、「強い心をもとう」というような精神論ではありません。

議論のノウハウを身につけることで、「一見、正しく聞こえる意見」「周りの人たちが安易に同調している主張」に論理矛盾があった場合、すぐに気づけるようになろうということです。

また、たとえ相手の理屈は通っていても、自分が納得できない場合には、同等に筋の通った理屈で対抗できるようになりましょう。

まとめ

- **「意見の言い方（声や態度の大きさ）」と「意見の正しさ」には何の関係もない。**
- **声が大きいからといって、その人が「議論に強い」とはかぎらない。**
- **相手の意見に納得できないときは、筋の通った理屈で対抗できるようになろう。**

「意見」とは「価値観＋理屈」

「価値観」は十人十色

議論とは「意見を投げかけ合う」という形式の対話です。つまり議論を成立させるには、相手の意見に耳を傾け、自分もまた意見を発する必要があります。

では、「意見」とはいったい何でしょうか？　まずそこから考えてみます。

物事をとらえる視点には、「事実」と「評価」があります。

「事実」とは、誰が見ても間違えようのない「現実に起こったこと」「現実に存在すること」です。たとえば、「日本の法律は同性婚を認めていない」というのは、どんな立場から見ようと事実です。

他方、「評価」とは、ある事実につき、人がそれをどうとらえているかということです。

たとえば、「日本の法律が同性婚を認めていないのはけしからん」と主張する人がいれば、「日本の法律は同性婚を認めていない」までが「事実」で、「けしからん」の部分は「評価」です。

「事実」は本来変わらないものですが、「評価」は人によって変わります。

なぜ人によって「評価」が変わるのかといえば、人はそれぞれもっている「価値観」が異なるからです。いくら親しい友人、夫婦、あるいは親子であっても100%同じ価値観をもっていることはありえません。つまり、人によって「事実」に対する「評価」は多少なりとも違ってきます。

「理屈」がなければ意見ではない

ここまで読んで、「なるほど、ある物事の事実に対する評価が意見なのだな」と理解した人もいるかもしれません。しかし、そう単純ではありません。

先の例でいえば、「日本の法律が同性婚を認めていないのはけしからん」というのは、「意見」と呼べるレベルに達していません。

「けしからん」という評価だけでは議論が成り立ちません。議論を成立させることができて初めて「意見」と呼べます。議論を成立させられない「評価」だけでは、相手を説得できる意見とはならないのです。

なぜ「評価」だけでは議論が成り立たないかというと、そこには「理屈」がないからです。理屈は意見の核となるもので、意見に説得力をもたせる理由づけとなるものといえます。

先ほど、議論とは互いの意見を投げかけ合うことであると述べました。言い換えれば、議論とは「相手の理屈と自分の理屈をぶつけ合うこと」です。互いの理屈が議論の足がかりになるわけです。

つまり「意見」とは、ある事実を自分の「価値観」にしたがって評価し、そこに「理屈」を伴わせて人に言葉で説明できる形にしたものです。

私は、大学で論理学の基礎を学んだ際に、人に話をする際には「好き嫌い」と「良い悪い」は意識的に区別すべきだ、と教わりました。

なぜなら、「好き嫌い」は価値観そのものであり、理由をつけても議論の深化は望めませんが、「良い悪い」という意見を言う場合には説得力のある理由を意識するようになり、思考を整理する訓練になるからです。

ですから、まずは「けしからん」「好きだ」「嫌いだ」となる前に、「良い悪い」について考えることが大事です。

それによって、自分の意見を組み立てることができるようになります。

まとめ

- **「けしからん」などという評価だけで、「理屈」がなければ議論は成り立たない。**
- **「意見」は、事実を「価値観」で評価し、「理屈」を伴わせて言葉にしたもの。**
- **意見を言うときは、「好き嫌い」の前に「良い悪い」を意識することが大事。**

意見の拠り所は自分の「価値観」

人は、価値観の部分で対立する

今述べたように、意見とは、ある事実を自分の「価値観」で評価し、そこに「理屈」を伴わせた言葉です。価値観は事実に対する評価で、理屈とは意見の理由でした。では、あなたの理屈（意見の理由）が強固であれば、相手はあなたの価値観を受け入れざるを得なくなり、あなたは議論に有利になるでしょうか。

それは「単純にはそう言えない」というのが私の考えです。

というのも、ある物事について賛成の立場をとる人と反対の立場をとる人は、往々にして同じことを問題にしており、しかも同じくらい理屈の筋が通っている場合が多いからです。

先に例示した「同性婚」で考えてみましょう。賛成派も反対派も問題にしているのは、次のように、「①結婚制度の意味や存在意義」、「②結婚制度における人権や平等」といったことで一致しています。

同性婚賛成派……「①結婚制度とは、望んだ相手と家族という1つの共同体を形成することを保証するものである。したがって②異性カップル、同性カップルにかかわらず、誰もが等しく結婚できる権利を有するべきである」

同性婚反対派……「①結婚制度とは、子を為し、血のつながった家族をつくることを保証するものである。したがって②結婚できる権利は子を為せる者の間で、すなわち異性カップルだけが有するべきである」

ご覧のように同じことを問題にしているうえに、いずれも形式上の筋は通っています。論理矛盾は見られません。

では、どこで対立しているのかというと、理屈ではなく価値観の部分です。

「どちらが正しいか？」ではなく「自分はどちらの理屈を選びたいか？（どちらの理屈を正しいとする立場でありたいか？）」という価値観こそが自分の意見の拠り所であり、結論を分ける分岐点なのです。

「理屈至上主義」になってはいけない

反対意見の人を説得し、多数決による合意形成に至りたいときも、価値観こそが拠り所となります。

自分には理屈がある。

相手にも理屈がある。

「理屈の正しさ」で勝負しようとしても溝は永遠に埋まりません。合意形成の大半は理屈の正しさではなく、価値観を説明することによってなされるものといってよいでしょう。

価値観による「評価」だけでは「好き嫌い」を言うばかりになり、「意見」のレベルに達しません。これでは議論にならないので、理屈を立てることは重要です。しかし、「理屈至上主義」になってはいけません。

理屈至上主義では、「筋が通っていれば正しい」→「しかし、どの理屈も筋は通っている」→「いったい何が正しいのか？」というジレンマに陥るのが関の山です。

意見を意見たらしめるのは、「理屈の大前提に横たわっている自分の価値観」です。議論においては、「自分は、いかなる価値観にしたがって理屈を立てようとしているのか？」「いかなる価値観に支えられた理屈を支持したいのか？」をつねに意識することが大切です。

まとめ

- **価値観こそが意見の拠り所であり、結論を分ける分岐点になる。**
- **価値観を説明することで合意が形成される。**
- **議論では、「どんな価値観で理屈を立てるか」をつねに意識することが大切。**

価値観を伴わない理屈は「屁理屈」

価値観は自分の意見を貫く「背骨」

理屈で相手を論破する人がもてはやされがちな昨今、理屈至上主義に陥る人が意外に多いのかもしれません。議論において主観を交えるのは、「単なる感想」を言っているだけであり、タブーと思われている節もあります。

こうした風潮は、そもそも議論というものの性質を大きく見誤っています。「議論」とは互いの意見を投げかけ合うことであり、投げかけ合う「意見」は、価値観と理屈の両輪でつくられるもの――ここまで読んできた方なら、理屈至上主義の何が誤りなのか、もうおわかりでしょう。

価値観とはもともと主観的なものです。その価値観に支えられた意見をぶつけ合うのが議論なのですから、「主観を交えるな」と言うのは道理が通りません。

「理屈」を伴わない価値観は単なる「評価」です。先ほどの「好き嫌い」「けしからん」と同じです。ならば「価値観」を伴わない理屈は何かというと、単なる「屁理屈」です。いずれも議論を成立させうる「意見」とは呼べず、より悪質なのは屁理屈です。

世の中にはじつにさまざまな議題があります。その議題ごとにとる立場に一貫性をもたらす背骨のようなものが「価値観」です。

価値観を交えて話さない人には、その背骨がありません。ゆえに議論するテーマごとに見れば理屈が通っているようでも、俯瞰（ふかん）すると一貫性がなくて、矛盾があります。議論ごとに、いわゆる「逆張り」をし、論点ごとにそのつど自分の価値観とは関係なく少数派の意見を支持し続ける、ネットの「炎上屋」もその類いです。

このような「炎上屋」的な意見を分析すると、ダブルスタンダードに陥っているように見えることが少なくありません。

死刑制度について考える

ダブルスタンダード的な意見の1つとして、死刑制度の是非を考えてみます。

死刑制度に反対する意見は、人権の観点からすれば、いかなる理由があろうと、個人が個人を殺めることも、法務大臣が人を殺める決定を下すことも容認できないと考えます。この意見からすれば、日本が、平安時代に約350年間、死刑を停止していた時期に死刑の代替刑として機能した流刑（いわゆる「島流し」）は、当時としてはよい制度だったと考えられます。

罪人をはるか遠方に追放するけれども、殺しはしない。流された罪人は、その地で死ぬまで過ごす可能性も高かったのですが、冤罪（えんざい）の場合など、復活の道が完全に閉ざされていたわけではありません。歴史を振り返れば、後醍醐天皇も源頼朝も処刑されずにすんだからこそ、復活して歴史に名を残しました。

私は、人権主義に人道主義を加味した「人権人道主義」という価値観に依って立っています。憲法の人権主義の背景には「個々の人間の尊厳」への理解があり、人権は決して他者の人権に優越するものではなく、人は等しく平等に扱われるという意味で、誰しもが国から「人道的に扱われる権利」を有していると考えているからです。

私の立場からすれば、死刑は冤罪の可能性をゼロにできず、冤罪の人を死刑にすることの正当性はどのような理屈をもってしても解決できず、先述した復活可能性を閉ざしてしまうことから、非人道的で前時代的な制度だと考えています。もっとも重い刑罰としては、「島流し」の現代版ともいえる「終身刑」が妥当と考えています（終身刑は仮釈放のない無期懲役刑ですが、日本にない制度ですから、刑法の改正が必要です）。

殺人はダメだけど死刑はよい？

一方で、日本の世論は現在でも約8割が死刑制度を容認しています。では、その人たちが殺人を容認しているかといったら、そうではありません。

つまり、死刑容認の人たちは、個人が個人を殺めることは許せないけれど、法務大臣が人を殺める決定を下すことは容認する――ということになります。これはある種のダブルスタンダードといえますから、すでに世界の大多数の国で死刑が廃止されているなかで、日本が死刑を存続させるには、より確固とした理由が必要でしょう。
もちろん、死刑容認の人たちのなかにも理由をしっかり立てている人はいるのかもしれませんが、「死刑制度が現にあるから」という理由で、ただ直感的に死刑制度を容認する人たちもいます。この死刑容認の意見は「好き嫌い」とほとんど変わりがなく、「意見」と呼べるレベルではありません。私が議論した人のなかには「死刑は日本の文化だ」と言う人までいて、こうなるともはや価値観そのものの対立として、議論することすら難しくなってしまいます。

こうした矛盾した理屈の例は枚挙に暇がありません。ネットにかぎらず、テレビに出ている論者から、政府、与党、野党に至るまでダブルスタンダードのように見える言説が散見されます。

ただし、ダブルスタンダードのように見える言説が、たしかにただのダブルスタンダードなのか、あるいは深い思惟に導かれたものか、それに気づく訓練も必要だと思います。そういう視点で、巷間伝わっている言説に触れてみることもまた議論力を高める一助となるでしょう。ここで死刑制度の是非の議論を取り上げたのも、死刑を認めるにしても否定するにしても、自らの価値観にさかのぼってその理由を考え、理屈を組み立ててもらいたいと考えたからです。

人権人道主義のように、自分のなかで通底している価値観を自覚できていると、他者の理屈に振り回されにくくなります。裏を返せば、価値観がしっかりしていない人は、他者の理屈に流されやすいということです。すると、議論に弱くなります。

なまじ筋が通っている理屈が意外と多いからこそ、理屈に触れるときには、自分がもっとも大切にしている価値観、自分がもっとも信頼している価値観に、つねに立ち返る癖をつけておきましょう。

まとめ

- **「価値観」を伴わない理屈は単なる「屁理屈」で、「意見」とは呼べない。**
- **「価値観」とは、自分の立場に首尾一貫性をもたらす背骨のようなもの。**
- **理屈に触れるときは、自分がもっとも大切にしている価値観に立ち返ろう。**

「会話占有率」を意識する

先に相手に多く話してもらう

相手がどういう事実に注目し、どんな価値観に基づいているのか、どの程度の知識量をもっているのかは、議論を戦わせるうえで重要な情報です。

そこで意識したいのが「会話占有率」です。

会話占有率は、相手から話を聞き出すときにはとくに重要です。自分が話す時間が多くなれば、それだけ相手から聞き出す時間が減ります。プレゼンなど、自分から多くを話すべきシチュエーションは除いて、最初は相手に多く話してもらいます。

仕事でクライアントから話を引き出すときはとくに重要ですが、意見が分かれやすい事柄について議論するときには、会話占有率を意識することが必要です。相手が話している内容から、相手が注目している事実や、価値観、知識量を推しはかっていくのです。そして意見の異なる人の場合は、価値観を共有していないわけですから慎重に話を進めていく必要があります。

相手とぶつからないように遠慮や忖度をするということではなく、異なる価値観の持ち主に対しては、自分が依って立つ価値観を一から丁寧に説明しなくてはなりません。その見極めをするために、まず相手に多く話してもらうのです。

たとえば、前述したとおり私は死刑に反対の意見をもっています。死刑制度の是非について誰かと議論する場を与えられたとき、あるいは誰かと話している最中に死刑制度の是非が話題にのぼったときに、相手が同じ立場とわかれば、最初から同じ価値観のもとで話を展開していくことができます。「死刑反対」という意見の前提条件として、私の価値観について説明をしなくても、たいていは理解し合えるわけです。

しかし、死刑容認の意見をもっている人に対しては、私がどんな価値観をもって「死刑廃止すべし」という結論に至っているのかを丁寧に説明しなくてはいけません。

相手が誤解しているとき

相手がどの立場をとっているかは、まず相手に話してもらわないことにはわからない場合も多いです。

宗教の問題について議論するときも同様です。

旧統一教会の被害者を救済し、その問題を追及している私は、一部の人に「宗教全般に対するアンチ」と見られているかもしれません。そうであれば、何かしらの信仰心を大切にしている人から警戒されてしまう可能性があります。

もちろん、事実はまったく異なります。私は、信教の自由も含めて、基本的人権はもっとも大切にしなければならない権利の1つだと思っています。ただ、信教の自由も、表現の自由と同様、他者の人権を侵害することは許されないと考えています。

私が旧統一教会を問題視しているのは、他者の人権を侵害すること、すなわち正体を隠した勧誘などマインド・コントロールを駆使した卑劣な手口で人を取り込み、霊感商法や高額献金、人としての尊厳を否定する労働、生活の収奪など、その人や家族の人生をめちゃくちゃにする活動を行っているからです。すでにいくつもの裁判例も出ていますが、これら旧統一教会の活動の問題点やマインド・コントロールの問題性については、詳しくは拙著『マインド・コントロール』（アスコム）をご覧ください。旧統一教会が、こうした活動をやめて、現に生じた被害者を誠実に救済していくのであれば、その後の旧統一教会の活動にまで異議を唱えることはありません。

誤解から、その人が私を警戒しているように見えたら、私が決して宗教全般を批判しているわけではないことを一から丁寧に説明するようにしています。この判断も、相手の話をしばらく聞いてみなければできません。

まとめ

- **相手の価値観を知るために、相手に多く話してもらうように心がける。**
- **意見が異なる人の場合は、価値観を共有していないので慎重に話を進めていく。**
- **相手が同じ立場であれば、最初から同じ価値観のもとで話を展開できる。**

議論の基本構造

「大前提」に「小前提」を入れると、「結論」が出る

議論の訓練をするとき、論理学を学ぶことはきわめて重要です。なかでも「三段論法」をぜひ身につけてください。

「三段論法」と聞いて、あまりよい印象をもたない人もいるかもしれません。単純な筋道で安易に結論を出す、ゆえに誤りに陥りやすい手法に見えるからでしょうか。

しかし、三段論法は古来、論理の基礎として存在し、議論に用いられてきました。これから三段論法の基本原理をお話ししていきますが、三段論法は、小学校では算数の授業で「ブラックボックス」の仕組みとして習いますし、数学のような学問では関

三段論法の仕組み

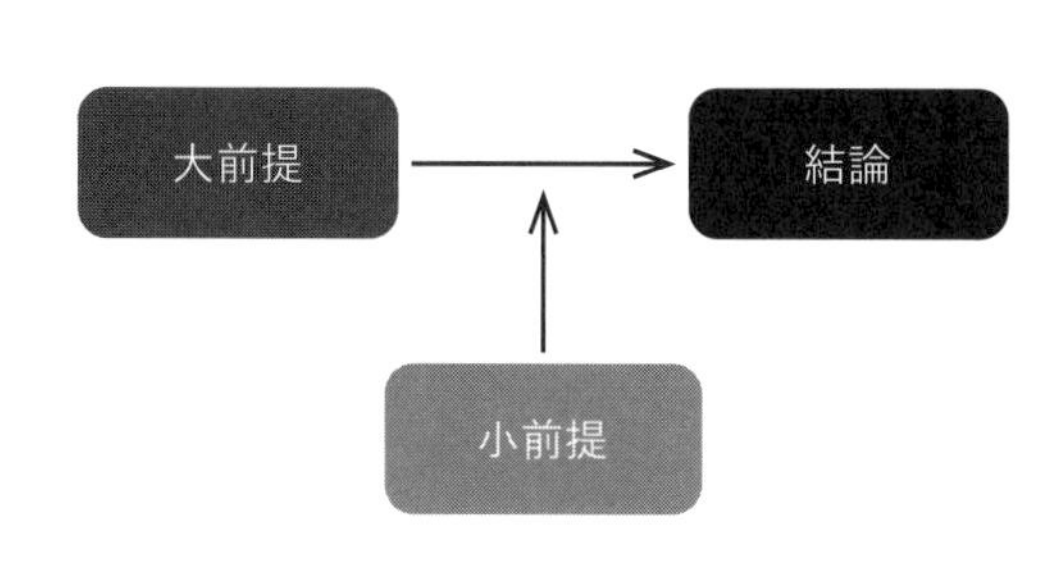

数の基礎となる緻密（ちみつ）なものです。

三段論法を身につけると、自分の価値観にしたがって、筋の通った理屈を立てられるようになります。それが物怖じせずに他者と意見を交わす力につながり、誰かの意見に流されたり、筋の通らない理屈に惑わされたりすることもなくなるでしょう。

三段論法の基本的な仕組みは、《「大前提」に「小前提」を入れると「結論」が出る》というものです。これが論理の基礎中の基礎である三段論法です。ここからは、「大前提」「小前提」「結論」の3つの用語を使って議論力を高める方法を説明していきます。

たとえば「赤信号は『止まれ』のサインであ

る」という大前提に、「今、信号は赤である」という小前提を入れると、「止まる」という結論が出ます。ごく単純な例をいくつか挙げておきましょう。

大前提 赤信号は「止まれ」のサインである
小前提 今、信号は赤である
結論 止まる

大前提 お店でほしいものは、お金を出して買う
小前提 お店で靴がほしい
結論 お金を出して靴を買う

大前提 A地点からB地点までは、電車で行くのが一番早い
小前提 A地点からB地点まで急いで行きたい
結論 電車に乗る

単純すぎるように思われるかもしれませんが、多くの場合、人が次の行動を決める価値判断となるのは、こうした単純な理屈です。

何事も原理原則とは単純なものです。単純だからこそさまざまに応用がきき、複雑なことでも三段論法に当てはめれば、筋道立てて説明することが可能になります。

弁護士が裁判で行う弁論も基本は三段論法です。三段論法が破綻している弁論は整合性がとれていないため、大きな失点となります。裁判官を説得できず、相手方の弁護士や検事に突っ込まれる事態を招き、裁判に負ける可能性を一気に高めるのです。

まとめ

- **三段論法の仕組みは、「大前提」に「小前提」を入れると「結論」が出るというもの。**
- **複雑なことも三段論法に当てはめれば、筋道を立てて説明することができる。**
- **弁護士が裁判で裁判官を説得するときに行う弁論も、基本は三段論法。**

納得できない結論に反論する

反論には2種類ある

あらためて三段論法の仕組みを見てみましょう。

大前提に小前提を入れると結論が出る——これは純粋な「理屈」です。理屈の背景に価値観があったとしても、理屈そのものは価値中立的です。つまり正誤の判断は、理屈のみを根拠として下すことはできません。次の例で考えてみましょう。

子育ては両親の義務である

子どもが生まれた

両親が共同で子育てをする

ご覧のとおり理屈そのものは破綻なく完結しており、理屈だけを見れば「正しい」ということになります。

しかし、この結論に納得できない人もいるでしょう。理屈が完結しているものには反論の余地がないかといえば、そんなことはありません。理屈は通っているけど賛成できない、そんな意見にどのように反論できるか考えてみましょう。

結論に納得できない場合、考えられる議論（反論）の仕方には、おもに2つの方向性があります。

反論法①「例外的事情」を取り込む

まず1つめは、「例外的事情」を取り込むこと。

理屈はたしかに通っているし、大前提も常識的である。けれども「そうは言っても現実的に理屈どおりにできない」という事情もあるでしょう。

たとえば、「共働きしないと生活費を賄（まかな）えないため、子育てに時間的制約が生じる」という例外的事情は、「子育ては両親の義務である」という大前提や「両親が共同で子育てをする」という結論に対して、次の傍線部のような「程度」問題で応じる材料となります。

「子育ては両親の義務である」という前提条件をいじらずに、「可能なかぎりその義務を果たす」というように、「果たせない部分はどうするか」という現実的に実践可能な話にさじ加減を加味することで、別の納得できる結論を導くことができます。

たとえば、「子育ては両親の義務であり、子どもが生まれたら両親が共同で子育てをする。ただし両親が子育ての100%を担うのではなく、祖父母や保育園の手も借りてもよいのではないか」といった反論が可能になるわけです。

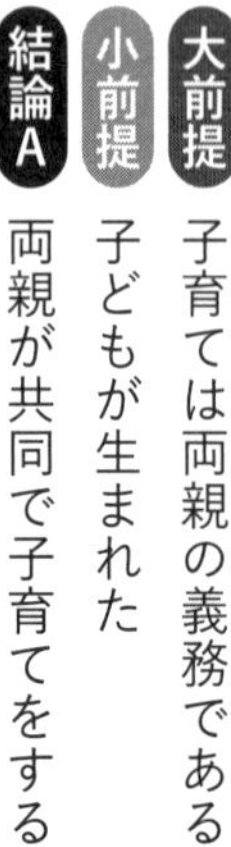

　←　結論Aに納得できない。
←　「例外的事情」を盛り込む。子育ては両親の義務だが、共働きしなければ生活費を賄えない夫婦の場合、子育てに時間的制約が生じる。
←　**結論B** 両親が子育ての100％を担うのではなく、祖父母や保育園の手も借りながら子育てをすればよい

反論法②「大前提」を動かす

もう1つの反論法は、三段論法の「大前提」を動かすことです。

誰かの意見に違和感を覚えたら、その人の大前提を疑い、動かすことで、別の納得できる結論を導き出すことも考えられます。

先ほどの例でいうと、「子育ては両親の義務」とは異なる「子育ては母親の義務」「子育ては国の義務」という立場をとっている場合、議論は理屈そのものではなく大前提をめぐるものになります。

「子育ては両親の義務である」という大前提が違えば、「子どもが生まれた」という小前提から導かれる結論は、当然ながら「両親が共同で子育てをする」とは別のものになるはずです。

では、試しに「子育ては母親の義務」という大前提のもとでは、どんな結論になるでしょうか。「子どもが生まれた」という小前提を入れると、結論は「母親が子育てをする」となります。

子育ては母親の義務である
子どもが生まれた
母親が子育てをする

これは今の時代にはそぐわない結論なので、多くの方が違和感を覚えるかもしれませんが、理屈は通っています。その意味においては「正しい」といえるわけです。前に、意見とは、価値観＋理屈であると述べましたが、ここまで読んでみると、その意味合いも、より深く理解できるのではないでしょうか。

大前提を決定づけているものは価値観です。違和感を覚えて、大前提を疑い、動かすことを試みるのは、相手がよって立つ価値観に挑むことといってもよいでしょう。

大前提　子育ては母親の義務である
小前提　子どもが生まれた
結論A　母親が子育てをする
↓
結論Aに納得できない。
↓
大前提を動かす。

大前提 ←子育ては両親の義務である
小前提 子どもが生まれた
結論B 両親が共同で子育てをする

違和感を覚えるけれども理屈は通っている場合、理屈がすべてだとしたら、違和感に蓋をして受け入れなくてはいけないことになります。正反対の結論がいずれも破綻なく完結していたら、「理屈が通っているかどうか」だけでは判断がつきません。

やはり「自分はどの立場をとりたいのか」という価値観がなくては「意見」にならないのです。

言い換えれば、絶対的な正解が存在しない以上、「意見」とは「どんな大前提のもとで理屈を立てたいのか」という自分の価値観にかかっているわけです。

さらに大前提を動かし、「子育ては両親の義務と同時に国の義務である」という大前提に立つ場合はどうでしょう。国が、両親の子育てを応援するために、子ども手当を出したり、保育所を充実させたりする政策は、論理の帰結として、国の当然の義務として評価できることになります。

大前提　子育ては両親の義務である
↓
大前提を動かす。
↓
大前提　子育ては両親の義務と同時に国の義務である

大前提が動いたことにより、

小前提　子どもが生まれた
結論　両親が共同で子育てをする
↓

結論　国も両親の子育てを応援する

論理の破綻を見抜く

他方、次のように理屈そのものが破綻している場合もあります。

大前提　赤信号は「止まれ」のサインである
小前提　今、信号は「青」である
結論　止まる

ここで導き出されている結論がおかしいことは、誰の目にも明らかでしょう。これは先ほどの例に見られるような価値観の違いからくる違和感ではなく、論理の破綻です。こんな稚拙な論理破綻には誰も陥らないと思われるかもしれませんが、じつは意外とよくあるのです。

今はSNSで誰もが意見を発信できる時代であり、さまざまな言説に触れる機会に事欠きません。感情的なものは除くとして、いかにも筋の通った「理屈」然としているものに出合ったときには、「大前提」「小前提」「結論」に切り分けてみましょう。これが議論力のトレーニングになります。

ある言説に何かしら違和感をもったら、「例外的事情を取り込むべきか」「大前提を動かすべきか（相手の価値観を疑うべきか）」、はたまた「論理破綻してはいないか」と考えてみてください。こうしたトレーニングを積み重ねるごとに論理的思考が身につき、自ずと議論力も磨かれていきます。

まとめ

- **反論法その1は、「例外的事情」を取り込むこと。**
- **反論法その2は、「大前提」を動かすこと。**
- **論理の破綻を見抜いて反論することもできる。**

相手の「大前提」を疑う

その三段論法は正しいのか

三段論法の結論は、おもに大前提に左右されます。小前提が同じでも、大前提の中身によって結論が変わるのは、前項で挙げた例でおわかりいただけたでしょう。「結論の違い」は、たいていは「大前提の違い」から生じるといえます。さらにいえば、大前提の背景となっている「価値観の違い」ゆえに人は異なる意見をもち、ときに対立するわけです。

わかりやすく、旧統一教会など社会的に問題行動が指摘される宗教団体を例に、こうした集団が用いる代表的な三段論法をいくつか挙げておきましょう。

〈旧統一教会〉

①「カイン－アベルの原則」を使った三段論法

大前提『創世記』によると、カイン、アベルの兄弟は、アダムとエバの息子たちであるが、神が、兄カインの献げ物でなく、弟アベルの献げ物を選んだため、カインは怒ってアベルを殺してしまう。このカインの殺人の罪は、神の意志に背くものであり、カインの立場にある者は、犯した罪を清算するため、アベルの立場にある者にしたがうべきである。

小前提旧統一教会では、より神に近い位置にある信仰上の上位者は、信仰上の「先輩」である。信仰上の上位にある者は、神に愛された『創世記』のアベルの立場にあり、下位の者はカインの立場にある。

結論カインの犯した罪を清算するためには、旧統一教会の組織内では、下位の者（カイン）は上位の者（アベル）に絶対服従すべきであり、自分の行動はすべてアベルに報告する。自己判断の必要がある場面でも、組織的な判断や指示を優先するべきであり、自己の裁量で行動せずにすべてを相談しなくてはいけない。

その結果、旧統一教会の組織は、教祖・文鮮明（現在は韓鶴子）を頂点とする命令一下で動く組織、すなわちピラミッド型となる。

②「アダム―エバの原則」を使った三段論法

大前提 『創世記』では、エバ（女性）が先に堕落してアダム（男性）を誘惑し男女の過ちを犯したこと（原罪）により、2人とも楽園を追放されることになってしまった。先に堕落したエバの罪を清算するため、女性は男性に献身的に尽くさなくてはならない。また、堕落は神の意志に反した男女の過ちから始まったことなので、再臨主である教祖・文鮮明の仲介なく勝手に結ばれた男女関係は不義である。旧統一教会では、再臨主たる文鮮明の仲介によってのみ、信徒同士の結婚（祝福）が認められる。神の祝福を受けた結婚こそが唯一かつ絶対の救いである。

信者のなかには未婚の信者が存在する。

結論 アダムとエバの犯した罪を清算し救われるためには、再臨主たる文鮮明の仲介による合同結婚（祝福）式に参加しなければならない。結婚（祝福）前は、男女の交際の一切は許されず、恋愛の自由はない。また祝福後の家庭においても、妻は、たとえ夫によるDVがあったとしても夫に献身的でなくてはいけない。また、夫婦間の勝手な判断は許されず、文鮮明に対する信仰は夫婦間の愛情よりも優先される。

　旧統一教会の組織では、アダムに徹頭徹尾尽くさなければいけない関係性を、アダム・エバと言い、韓国をアダム国家、日本をエバ国家と呼んで、日本が韓国に尽くすのは当然ということにもつながる。

〈エホバの証人〉

①「子どもの鞭打ち」に正当性を与える三段論法

大前提 アダムの子孫にはみな懲らしめが必要である。懲らしめは言葉で正す以上の形をとることが必要であり、ときには、しっかりと懲らしめるために鞭で痛みを加える必要がある。鞭打ちを控える人は子どもを愛していない。懲らしめは愛を動機とすべきであり、子どもを愛する人は懲らしめを怠らない。

小前提 私は子どもを愛する母である。

結論 私は我が子を懲らしめる。ときに痛みを与えるために鞭で打つ。

②「輸血拒否」に正当性を与える三段論法

大前提 聖書には「血を避けなさい」という言葉が何度も出てくる。よってエホバの証人の信者は他人の血を自らの体内に入れてはいけない。

小前提 我が子が交通事故に遭い、出血多量のため輸血が必要と告げられた。

結論 たとえ命が助からなくても、輸血を拒否する。

このような教団は、ひとたび入信すると、こうした三段論法によって、世間一般の常識からは大きく外れた理屈であっても、「これこそが正しいのだ」としたがわせてしまいます。

理屈のカラクリを見破る

三段論法の仕組みをたびたび悪用するのが、消費者被害を巻き起こす悪質業者やカルト的な団体です。

カルト的な団体は、宗教団体にかぎらず、違法な経済活動を繰り返し行うマルチ商法や自己啓発セミナー団体、政治的な行動を主とする団体（過激派や陰謀論を吹聴する団体）も含まれ、それぞれ宗教カルト、経済カルト、政治カルトなどと呼ばれる場合もありますし、これらが複合的に組み合わさっている団体もあります。

私は長年こうした団体の被害者を救済してきました。団体は、まず対象となる相手に言葉巧みに近づき信頼関係を獲得します。その後に一般の社会とは異なる価値観を吹き込んでいきます。最初は善良だった人が、いつの間にか人を騙（だま）してお金を奪っても何ら痛痒（つうよう）を感じない人格に変えられるなど、ゆがんだ大前提をもとに、ゆがんだ結

おかしな結論の背景にはおかしな大前提がある

相手の結論に納得できない／違和感や疑念を抱く

↓

「大前提は何だろう」と考える

↓

大前提と結論のおかしさを指摘する

↓

自分の意見を筋道立てて説明する

論を導き出す理屈を植えつけられます。

相手を騙してお金を奪うことがかえって相手の運気を上げる、死んだら天国に行ける、世の中では知られていない真実があり、それを知ることができたあなたはラッキーである。このように騙って、人を取り込もうとするのです。

このような例はかなり極端に感じるかもしれませんが、要するに、「大前提に小前提を入れると結論が出る」という論理の構造上、おかしな結論の背景には必ずおかしな大前提があるということです。

ですから、相手が出している結論に納得できないときや、ちょっとでも違和感や疑念を抱いたとき、強く言われて流されそうになったときは、「この結論の大前提は何だろう？」と考える癖をつけてください。するとモヤモヤが晴れて、相手の大前提のおかしいところを突くことで結論のおかしさを指摘したり、「私はあなたとは違う意見です」と筋道立てて説明したりすることができるようになります。

三段論法の仕組みをしっかり理解すると、こうして相手の理屈のカラクリを見破り、自分の立場をはっきりさせて、主体的に議論に参加できるようになります。さらに、相手に騙されにくくなるという耐性をつけることができます。

まとめ

- **「結論の違い」は、たいていは「大前提の違い」から生じる。**
- **おかしな結論の背景には、必ずおかしな大前提がある。**
- **三段論法の仕組みを理解することで主体的に議論に参加できるようになる。**

相手の「価値観のゆがみ」を見抜く

意見が対立するとき、しないとき

同性婚、死刑制度、専守防衛、憲法改正など、世の中には賛否両論が並立しているテーマがさまざまあります。こうしたテーマでは、異なる大前提、異なる結論が整合的に成立するため、たびたび意見の対立が起こります。

他方、異なる大前提があまり考えられないテーマもまた、たくさんあります。「人を殺してはいけない」「人のものを盗んではいけない」といった倫理、「晴れた日は気持ちがよい」「花は美しい」といった美的感覚などです。

こうした社会通念や常識とされるものは、その社会に生きる人々の間で共有されているため、それらを大前提とした場合は、同じ小前提を入れると、だいたい誰もが同じような結論に至ります。

たとえば、散歩中に、桜が咲いているのを見て（「桜が咲いている」という小前提）、「美しいね（結論）」と言い合えるのは、「桜は美しい」という大前提を共有しているからです。だからこそ、大前提にどんな小前提を入れるのかは非常に重要です。

小前提の筆頭は、やはり「事実」です。価値観に相違なく、大前提が共有されている条件のもとでは、誤りのない事実を小前提として入れることで、誰もが納得できる結論を共有することができます。

裏を返せば、社会通念や常識的なテーマについて、同じ小前提を入れたにもかかわらず大多数と異なる結論になる人は、人とは違う価値観をもっているということです。たとえば次のように。

大前提 ほしいものは人から盗んでよい（「人からものを盗んではいけない」という常識が通じない）

Aさんがもっている鞄がほしい

Aさんの鞄を盗む

「要注意人物」の見分け方

もちろん価値観は多様です。「人とちょっと違う人」「変わっている人」が社会から疎外される理由はありません。

ただ、節々の言動から垣間見える価値観が、ずいぶんと社会通念や常識から外れているとしたら、その人の言動を疑ってかかる必要があります。その人が何かしらの害悪の原因になる可能性があるかもしれないからです。

ですから、相手の価値観を知って、「この人は、ちょっと気をつけたほうがよいかもしれない」というサインを受け取れるようになっておいたほうがよいでしょう。

三段論法を心得ておけば、「大前提が大きく異なる＝常識のない人」を見抜くことにも役立ちます。

弁護士は、異なる価値観の持ち主とも議論しなくてはいけません。

そこで私は、必ず議論の場に立つ前に、各種メディアやSNSなどで相手の普段の言動をチェックします。相手が常識的な人間であれば、自然と建設的な議論になるはずですが、そうでない場合は注意が必要です。

相手の知識の程度や、常識や価値観の違いによっては、念入りに戦略を立てなくてはいけないので、議論する相手に関する予習、確認、情報収集の作業は欠かせません。

まとめ

- **常識的な大前提で事実を小前提に入れれば、誰もが納得できる結論が得られる。**
- **三段論法の心得は「常識のない人」を見抜くためにも役立つ。**
- **相手と知識や価値観が異なるときは、念入りに議論の戦略を立てなくてはいけない。**

小前提が大前提を覆すとき

価値観を使い分ける

弁護士がみんな論理学の勉強をしているわけではありません。ただ、人一倍、理屈を扱う職業であることはたしかですから、模擬裁判など弁護士になる訓練のなかで、自ずと議論に強くなります。

弁護士の仕事は、「理屈に基づいて仕事上の人格を使い分けること」も意味しています。弁護士は、自分の価値観を介在させなければ、原告と被告、どちらの立場からも理屈を立てることができます。

同じ事件の裁判でも、依頼者が被告ならば被告側の理屈で、依頼者が原告ならば原告側の理屈で戦う。筋の通った理屈に基づき、不倫した側に立つこともできれば、不倫された側にも立てる。これが弁護士の仕事です。

私は、前述したとおり、個人の意見としては死刑反対ですが、殺人事件の遺族側につくケースでは、遺族が被告人の死刑を望めば、「過去の判例からは死刑が妥当」と意見書を書きます。それが１００％依頼者に尽くす弁護士の仕事ともいえます。

つまり、法律学のなかでも、とくに法律実務は二重人格をつくる学問といえるのです。こんな言い方をすると反発されそうですが、実際そういうものです。相手の立場がわかるからこそ、相手の立場に立った解決策や法律解釈が可能になり、交渉や裁判での議論を通じて、より有益な解決に導くことができるのです。

もちろん、なかには「私は、被害者側につくことを信念としているから、被害者がいる刑事事件の弁護はしない」など、自分の信念にしたがって引き受ける案件を決めている弁護士もいます。しかしそういう弁護士は稀であり、大半の弁護士は、個人の意見とは別に「依頼者の人格に成り代わって理屈を立てることができる」といってよいでしょう。

弁護士の職務を遂行していくには、仕事上で用いる理屈と自分の価値観を適宜切り分けられるようでなくてはいけないのです。

ひどい事件の裁判のニュースを聞いたときなど、「どうして弁護士は、こんな極悪人の弁護ができるんだろう？」と思う人も多いのではないでしょうか。

人情としては理解できますが、近代的な裁判制度が整備される過程で、刑事被告人の「弁護される権利」が憲法で保障されるようになりました。日本も例外ではありません。日本国憲法は第37条3項で、「刑事被告人は、いかなる場合にも、資格を有する弁護人を依頼することができる。被告人が自らこれを依頼することができないときは、国でこれを附する。」と規定しています。

このような制度においては、弁護士の誰かが弁護を引き受けなくては、被告人を裁くことができません。裁くことができなければ、罰することもできない。日本の弁護士制度は、日本国憲法のもとで整備されており、日本の弁護士はみな、この制度のもとで弁護士になっています。

今も世界には、裁判を行わずに為政者の独断によって死刑判決が頻繁に下されている国が存在します。私は日本がそのような国でよいとはまったく思いません。いかなる犯罪者にも「弁護される権利」は認められるべきです。

弁護士は、たとえ自分の価値観に反しても被告人の弁護をしなければならない職業でもありますから、「被害者がいる刑事事件の弁護はしない」という弁護士は、憲法が要請する真の「弁護士像」から見ると、弁護士の公益性の観点からは、決して褒められるものではないと私は考えています。

大前提を覆す「新しい事実」

さて、ここまで少し紙面を割いて弁護士の仕事について述べてきたのは、そこに「論理というものの本質」が表れていると思うからです。

論理とは、あくまでも「物事を説明するための仕組み」であって、それ自体に正誤の判断はありません。

理屈が破綻なく完結していることは必須条件ですが、最終的に結論を導くのは価値観です。裁判でいえば、裁判官の価値観が判決を下す。そして裁判官の価値観は、世間の常識を反映したものです。

弁護士の最終目標は「勝訴」ですから、自分が用いる理屈と裁判官の価値観（つまり世間の常識）とのすり合わせは欠かせません。だから、世間の常識に訴えかけるように弁論します。論理の仕組みがわかっていると、理屈を使って相手の価値観をこちらに引き寄せることもできます。

こういう話になると私が真っ先に思い出すのは、1973年の「尊属殺重罰規定違憲判決」です。

この判決が下されるまで、一般的な殺人罪とは別に「刑法第200条　尊属殺人罪」が設けられており、自己もしくは配偶者の直系尊属（父母、祖父母、曽祖父母など）を殺した者は、「死刑または無期懲役に処する」とだけ定められていました。

当時の一般的な殺人罪には「3年以上の有期懲役」も量刑として定められていましたが、親殺しなどの尊属殺人には、とくに重罰が科されることとされ、「執行猶予」を付すことができない制度だったのです。つまり、通常の殺人罪よりも親殺しは罪が重いという、当時の社会の価値観が反映した法律だったわけです。

ところが1973年の判決では、憲法14条の定める「法の下の平等」に反するとして、尊属殺人罪を違憲で無効としました。きっかけは次のような事件でした。

「父親を殺すしかない」

1968年、29歳の女性が実の父親を殺した罪で逮捕されました。

しかし実父を殺すに至った経緯を調べると、誰もが目を覆いたくなるような悲惨な事実が判明しました。

この被告女性は14歳のころから実父に性交を強要され、実父との間に5人の子どもを出産していました。何度も逃れようとしたものの暴力を振るわれて連れ戻され、そのうち逃げることすら諦めてしまいました。

被告女性は仕事に就き、やがて恋愛関係になった同僚男性との間で結婚話がもち上がります。しかし、それを告げられた実父は激怒して女性を監禁し、性的暴行を繰り返しました。

そして監禁10日目、「家を出るなら女性も子どもたちも殺す」と、叫びながら襲ってきた実父を見て、「人並みの幸せを得るには父を殺すしかない」と思い詰めた女性は、とっさに実父を絞殺したのです。

被告女性の境遇は、一般常識的には明らかに情状酌量の余地のあるものでした。殺害した極悪非道な人間が実父だったというだけで、死刑または無期懲役だけの刑罰というのは重すぎる。そもそも、殺害した相手によって量刑が変わる刑法２００条そのものが、「法の下の平等」に反する違憲条項なのではないか。

こうした訴えが弁護士から出され、最終的に最高裁判所は刑法２００条を違憲としたうえで、当時の刑法第１９９条の規定である「人を殺した者は、死刑又は無期若しくは3年以上の懲役に処する。」（現行法は5年以上の懲役）を適用。被告女性は、情状酌量による減刑も加えて懲役2年6ヶ月（執行猶予3年）の判決となりました。

法律は人間の倫理観のもとでつくられたものです。しかし現実の社会では、ときに現行の法律を大前提として杓子（しゃくし）定規に当てはめることが、むしろ人道に悖（もと）るケースが起こるものです。

尊属殺重罰規定違憲判決は、尊属殺人罪の適用が（ひいては、この罪の存在そのものが）

人道に悖るという弁護側、および裁判官の価値観が、法律に変化をもたらしたものでした。刑法200条は刑法から削除されることになり、現在、尊属殺人罪の規定はありません。

今まで経験したことのなかった理不尽な小前提（新しい事実）が大きなきっかけとなって、裁判官の価値観を変え、既存の法律が違憲無効とされ、尊属殺人罪の規定ではなく、一般の殺人罪の規定を適用するという形で、大前提が覆されたというわけです。

まとめ

- **論理とは「物事を説明するための仕組み」であり、それ自体に善悪の判断はない。**
- **破綻のない理屈を必須条件としながら、最終的に価値観が善悪を決める。**
- **新しい事実が小前提となって大前提が覆されることもある。**

第2章

基本編

議論力の土台をつくる

——「三段論法」トレーニング

不完全な三段論法に注意する

三段論法で陥りがちな3つの誤り

前章で三段論法の仕組みは理解できたと思うので、ここからは三段論法でものを考えたり話したりできるようになるために、トレーニングをしていきましょう。

まず「誤り」から見ていきます。

「大前提に小前提を入れると結論が出る」という三段論法の仕組み自体は非常にシンプルですから、誰もが組み立てることができます。しかしシンプルなだけに、どこかで何かを誤ると、とんでもない結論を導いてしまうことがあります。

そんな、不完全な三段論法に絡め取られないよう、また自らが不完全な三段論法を無自覚のうちに使ってしまわないよう、まず、ありがちな3タイプの誤りを頭に入れておいてください。

①論理が飛躍している

大前提も小前提も誤りではないけれども、両者のかけ合わせに無理があるために、あまりにも突飛で誤った結論に至っているタイプです。

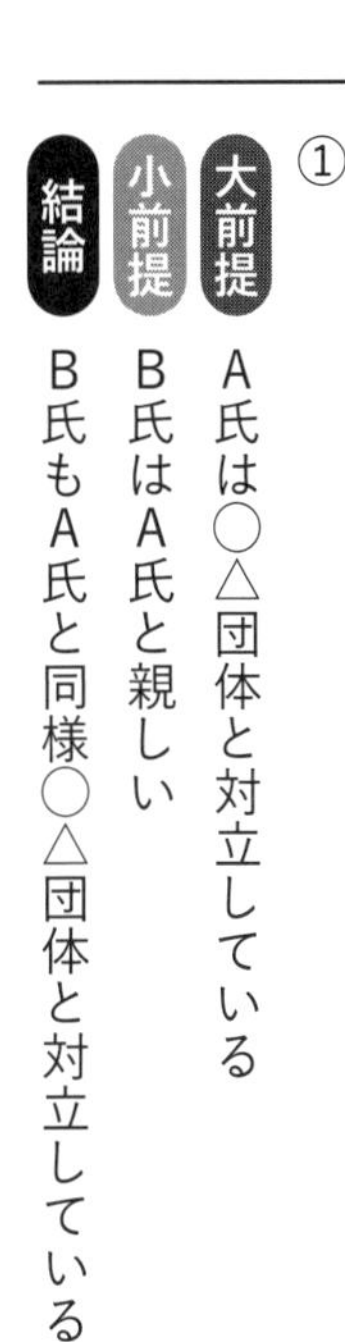

A氏が○△団体と対立していることと、B氏とA氏が親しいことには関係がありません。個人的に親しいからといって、価値観や行動において合致しているとはかぎら

ないため、この結論は論理が飛躍しています。

これは、「坊主憎けりゃ袈裟まで憎い」の典型ですが、学校の子ども同士のいじめで、いじめっ子に注意した正義感のある子どもが逆に執拗ないじめに遭うというような「いじめの正当化」に使われる理屈でもあります。SNS等のネット上の誹謗中傷の類いでもよく見られる言説です。しかし、こうした言説は村八分にも通じるものなので、論理の飛躍というだけにとどまらない、危険な考え方というべきです。

②

大前提　若者は政治に無関心である

小前提　A君は20代の若者である

結論　A君は政治に無関心である

「若者が政治に無関心」というのは世代的な傾向として指摘できるかもしれませんが、政治に関心のある若者もいます。したがって、20代の若者であるA君が政治に無関心であると決めつけるのは論理が飛躍しています。

③

大前提　私の経験上、施策Aではコストが利益を上回る

小前提　施策Aを採用した

結論　コストが利益を上回る施策Aによって損失を出す

その人が過去に施策Aで利益よりコストが上回る経験をしたから今回もそうなると結論づけるのも、経験を絶対視する考え方で、論理が飛躍しています。

経験則は1つの参考材料としては有効ですが、経験は人それぞれのものであり、絶対ではありません。施策Aで利益を上げた経験をもつ人がいる可能性もあります。

このように個人の経験を三段論法の大前提とするのは、議論が「上から目線」になったり、主観的になったりしがちです。できるだけ「経験」という抽象的な言葉ではなく、過去にあった具体的な事例や事実に即して議論を進めることが、説得力を高める秘訣です。

②大前提が間違っている

大前提が間違っているため、たとえ正しい小前提を入れても誤った結論を導いてしまうタイプです。

---

①

赤信号は「進んでよし」のサインである

小前提　信号は「赤」である

進む

赤信号は「止まれ」のサインであり、「進んでよし」のサインであるという大前提が間違っています。

②

大前提　新型コロナウイルスにワクチンは効かない

小前提　新型コロナウイルスのワクチンが開発され、政府から接種券が届いた

結論　接種する必要はない

新型コロナウイルスにワクチンが効くことはさまざまな臨床試験により証明されているため、大前提が間違っています。

③

大前提　小麦製品は人体にとって有害であり、常食していると、いずれ深刻な病気にかかる

小前提　A氏は小麦製品を常食している

結論　A氏はいずれ深刻な病気にかかる

小麦にアレルギー反応を起こす人がいることはたしかですが、体質によります。したがって「小麦製品は人体にとって有害」という大前提が間違っています。

③結論の「すわり」が悪い

論理自体は正しいものの、大前提に小前提を入れて出された結論の納得度が低いタイプです。結論に対して「違和感」をもつことが重要です。

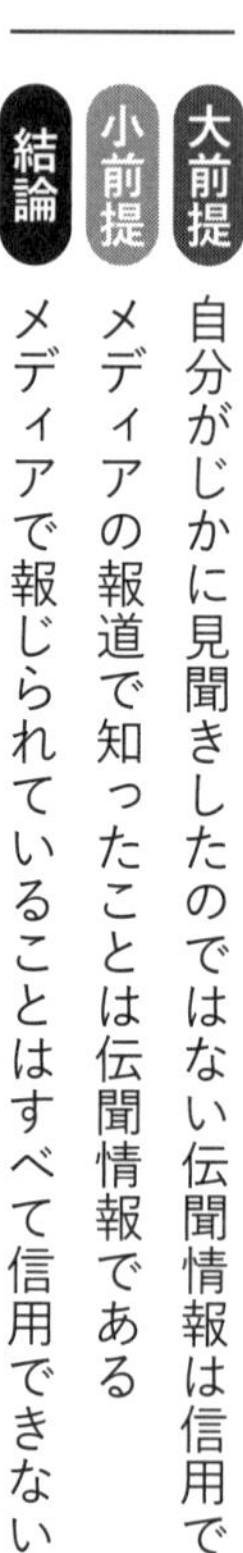

大前提も小前提も誤りではなく、論理自体はありうるものですが、「メディアで報じられていることはすべて信用できない」とは言い切れないため、結論のすわりが悪いのです。これは単に論理で遊んでいるようなもので、現実には適用できない机上の空

論、詭弁、屁理屈に当たります。人を言い負かすことを目的としている人の言説によく見られます。以上3タイプの例を見てきましたが、このような理屈は単に屁理屈、詭弁の類いと笑っていられません。SNS等のネット上でもこうした理屈が飛びかっていますが、一歩間違えば、善悪二元論の二項対立をあおる結果となりかねないからです。陰謀論やカルト的な団体などの暴走を許してしまう可能性もあります。

松本サリン事件や地下鉄サリン事件を引き起こしたオウム真理教でも、マスコミの報道は嘘であるなどと、同様の理屈が主張されていました。このような理屈には注意しなければなりません。

まとめ

- **大前提と小前提のかけ合わせに無理があると、突飛で誤った結論に至る。**
- **大前提が間違っていると、正しい小前提を入れても誤った結論を導いてしまう。**
- **論理自体は正しくても、出された結論の納得度が低い場合がある。**

議論力トレーニング1

大前提と小前提から「結論」を考える

シンプルな構造を頭に叩き込む

次は、三段論法で理屈を組み立てる議論力トレーニングを行います。

繰り返しお話ししてきたように、三段論法では「大前提」に「小前提」を入れて「結論」を出します。ここでは、与えられた「大前提」と「小前提」から「結論」を導く練習をしていきましょう。

どの問題でも難なく「結論」を導けると思いますが、重要なのは、このシンプルな構造に対して徹底的に頭を慣れさせることです。やがて、どんな事柄について考える際にも、自然と三段論法で理屈を組み立てられるようになっていくでしょう。

次のトレーニング問題で「結論」を導いてください。本書の「トレーニング問題」の解答は201ページ以降にまとめて掲載しています。

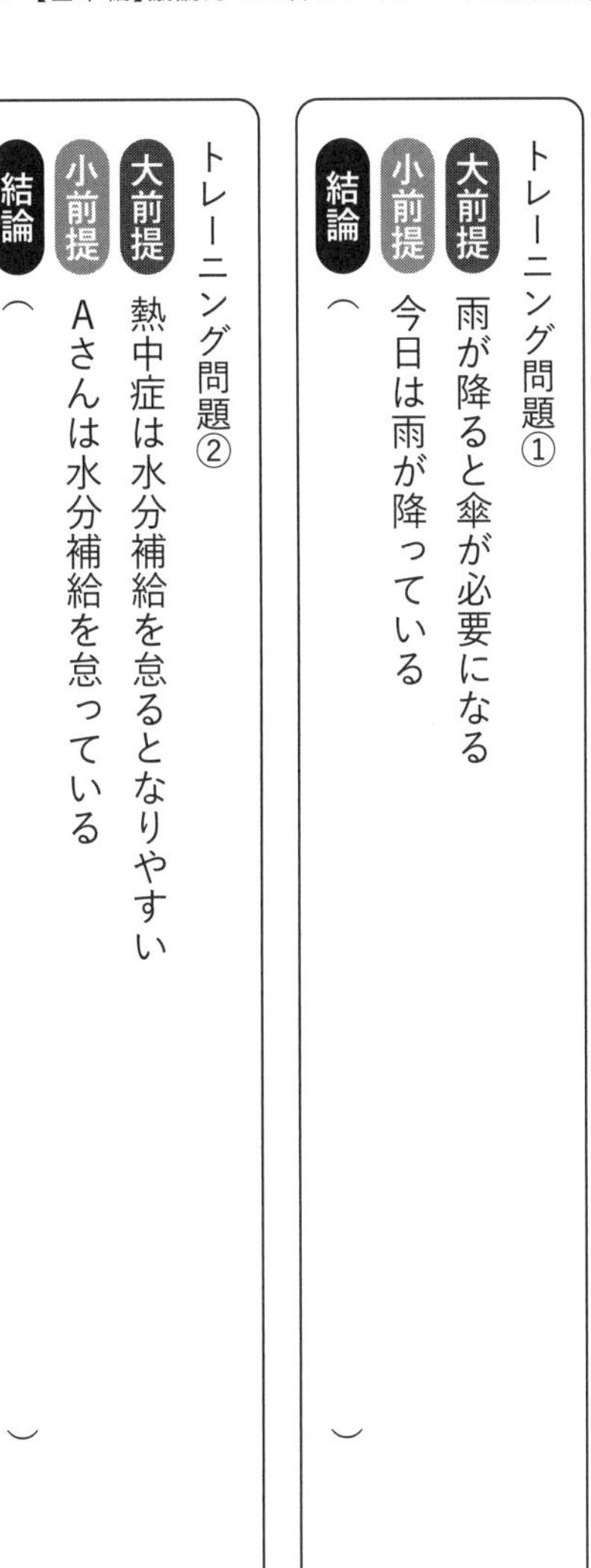

トレーニング問題①

大前提　雨が降ると傘が必要になる
小前提　今日は雨が降っている
結論　（　　　　）

トレーニング問題②

大前提　熱中症は水分補給を怠るとなりやすい
小前提　Aさんは水分補給を怠っている
結論　（　　　　）

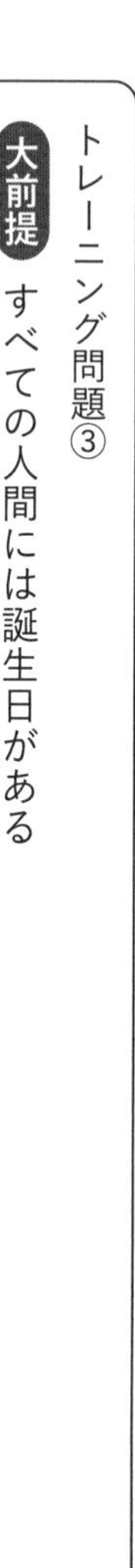
トレーニング問題③
大前提 すべての人間には誕生日がある
小前提 Bさんは人間である
結論 （　　　）

トレーニング問題①～③は非常にシンプルなので、大前提、小前提を素直に読めば、容易に結論を導くことができるでしょう。まずは、三段論法の構造をしっかり理解してください。

法律の基本構造も、三段論法

じつは法律も、条文を大前提とする三段論法です。
たとえば、先にも取り上げた殺人罪を定めた現行刑法第199条には、「人を殺した者は、死刑又は無期若しくは5年以上の懲役に処する。」とあります。

正しい「結論」は何か

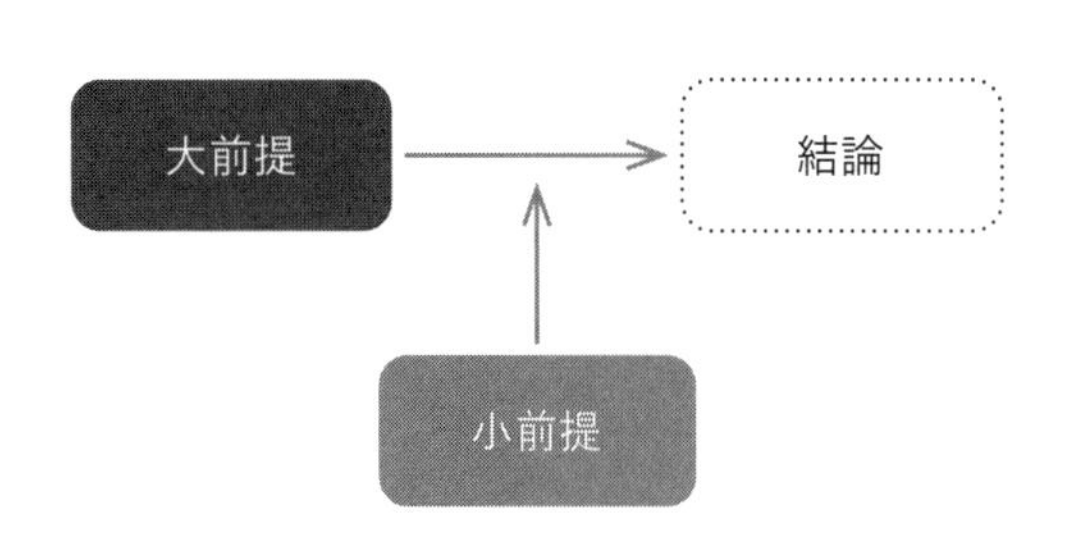

大前提と小前提から「結論」を導く

この条文に「A氏は人を殺した」という事実を入れると、結論として「A氏を死刑又は無期若しくは5年以上の懲役に処す」という結論が導き出されます。もちろん死刑なのか無期なのか懲役なのかはケースバイケースですが、そこでも（多くは過去の判例を大前提とする）三段論法が用いられます。

刑法第210条には「過失により人を死亡させた者は、五十万円以下の罰金に処する。」とあります。

この条文に「A氏は過失により人を死亡させた」という事実を入れると、「A氏を五十万円以下の罰金に処する」という結論が導き出されます。

つまり、「人を殺した」という事実が同じでも、故意か過失かという「事実」によって、適用する条文が変わり、それによって判決が大きく変わります。しばしば裁判で「A氏は故意に殺したのか、過失により死なせたのか」という事実をめぐる論争が起こるのも、法律の基本メカニズムが三段論法だからなのです。

ただし、「同じ事実を入れたら、誰が裁判官を務めていても同じ判決（結論）になること」が裁判の理想ですが、実際にはそうはいきません。

法律を事実（被告が犯した罪）に当てはめて判決を下す裁判官もまた人間であり、思考や価値観は人それぞれ異なるからです。

また、裁判官それぞれの思考や価値観のほか、判決を導き出す大前提には「時代」などの要素も入っています。

したがって同程度の罪を犯した被告人に対する判決が、すべて一致するわけではありません。たとえば同じ「1人を殺した」という事実を入れても、裁判によって結論が極刑である「死刑」となる場合もあれば、「有期の懲役」となる場合もあり、前述した尊属殺人罪の事例では「執行猶予」がつくという場合まであります。

「人を殺してはいけない」という大前提は同じであっても、判決の結論がすべて一致するわけではありません。裁判で明らかにされる具体的な「事実」の重みはそれほど大きいのです。

また、大前提には、裁判官の思考や価値観、時代なども影響します。実際の裁判にはさまざまな要素が絡み合っています。

しかし、法律のあてはめの基本は三段論法であり、条文（大前提）に事実（小前提）を入れると結論が出るというものです。この仕組みは、私たちが議論に用いる三段論法と同じです。

まとめ

- **三段論法は、「大前提」に「小前提」を入れて「結論」を出す仕組み。**
- **どんな事柄を考える際にも、自然と三段論法で理屈を組み立てられるようになろう。**
- **小前提に入れる「事実」によって結論が異なるため、「事実」の重みは大きい。**

議論力トレーニング2

「大前提」と「小前提」を類推する

小前提と結論から「大前提」を類推する

議論相手の結論だけに注目していると、「鵜呑みにする」か「頭ごなしに否定する」かのどちらかになりがちです。前者は騙されやすく、後者は人間関係に支障をきたしやすいでしょう。

ですから、人と会話するときには、相手がどんな「大前提」で話しているのかを考える癖をつけてください。

大前提は価値観に裏打ちされたものが多いので、大前提も価値観も相手の頭の中にあることが多いと思います。そのため、類推しなくてはなりません。

自分で三段論法を組み立てるには、大前提に小前提を入れて結論を出しますが、人の三段論法を読み解く際はその逆で、「結論と小前提から大前提を類推する」ことになります。相手の頭の中にある大前提を、表に出ている「小前提」と「結論」から逆算するように探るのです。

ここで試しに、次の問題について考えてみてください。

大前提に、ある数字（小前提）を入れると、ある数字（結論）が出てきます。この場合、大前提は何でしょうか？

---

①大前提に
・1を入れると2
・2を入れると3
・3を入れると4
とすると、大前提は？

「大前提」は何か

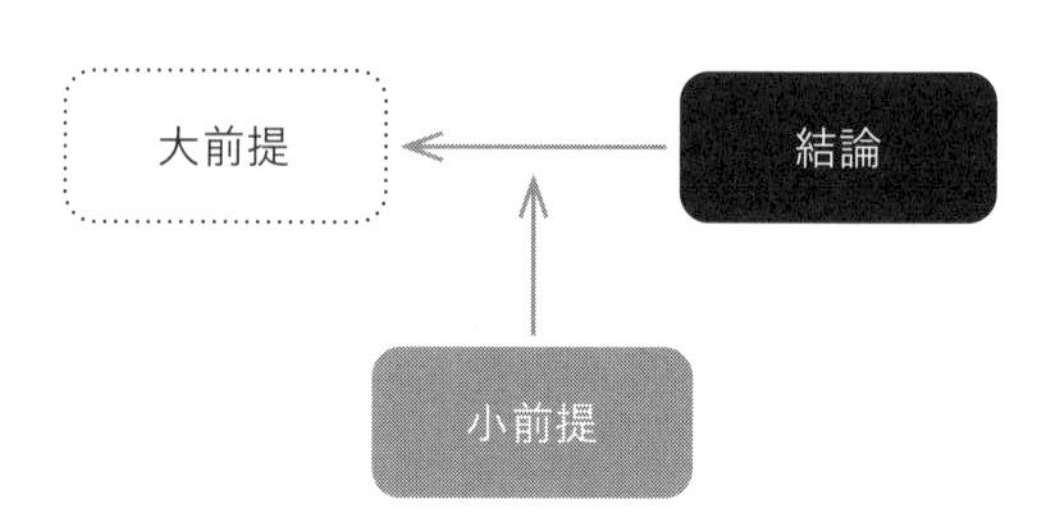

小前提と結論から「大前提」を類推する

---

②大前提に
・1を入れると2
・2を入れると4
・3を入れると6
とすると、大前提は？

〈答え〉
① ＋1
② ×2

相手の理屈の成り立ちを類推するときにも、仕組みとしてはこれと同じことをすればよいわけです。

大前提に数字を入れると、ある計算結果になる。

＝

大前提に小前提を入れると、ある結論になる。

←

数字を入れると、ある計算結果になる。これを逆算すると大前提がわかる。

＝

小前提に事実を入れると、ある結論になる。これを逆算すると大前提がわかる。

論理が中立であることを前提とすると、事実と結論を聞けば、自ずと相手の大前提が予想できます。

人の話を聞く際には洞察力が欠かせませんが、この洞察力とは、事実と結論から大前提を導き出す能力といってよいでしょう。

弁護士という職業柄、これは私にとって日常的な作業ですが、「相手の話しているとおりに受け止める傾向の強い人」は、この力を磨くことがきわめて重要です。

相手の理屈の仕組みがわかれば、そこにゆがみが潜んでいた場合にもすぐに気づき、警戒することができます。

次のトレーニング問題で「大前提」を予想してみましょう。

トレーニング問題⑤

大前提　（　　　　　　）

小前提　Aさんは首都圏在住だ

結論　Aさんはエスカレーターに乗るとき右側を空ける

大前提と結論から「小前提」を類推する

「結論」と「小前提」から「大前提」を類推するのと同様、「大前提」と「結論」から「小前提」を逆算することもできます。1＋◯＝3から、◯の2を導き出すようなものです。

あまりイメージが湧かないかもしれませんが、この類推法が役立つ局面もあります。「小前提」には「事実」が入ることが多いため、「大前提」と「結論」から、相手がどんな「小前提」を入れているのかを類推することで、相手の事実誤認などにいち早く気づけるようになります。

次のトレーニング問題で「小前提」を類推してみましょう。

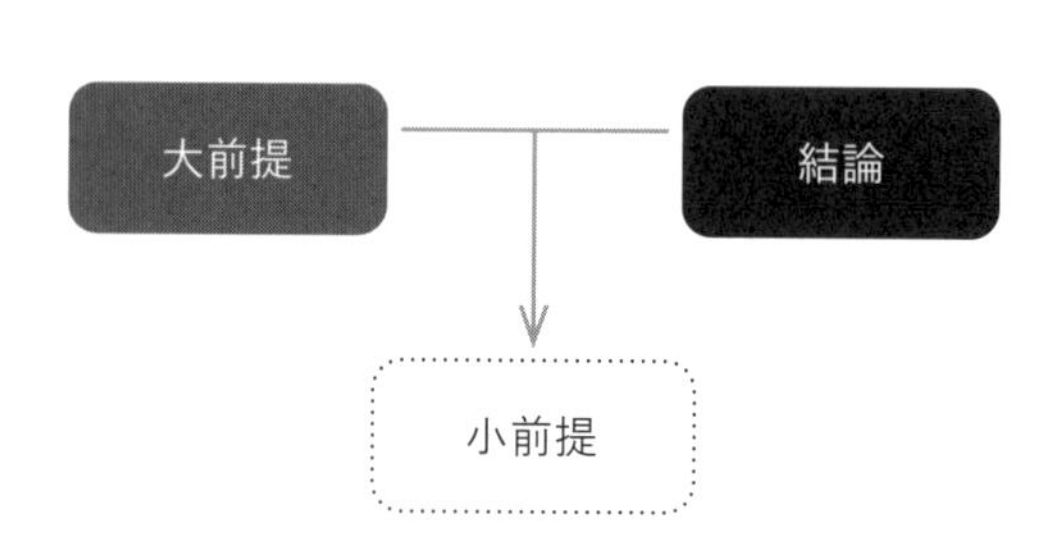
「小前提」は何か
大前提
結論
小前提
大前提と結論から「小前提」を逆算する

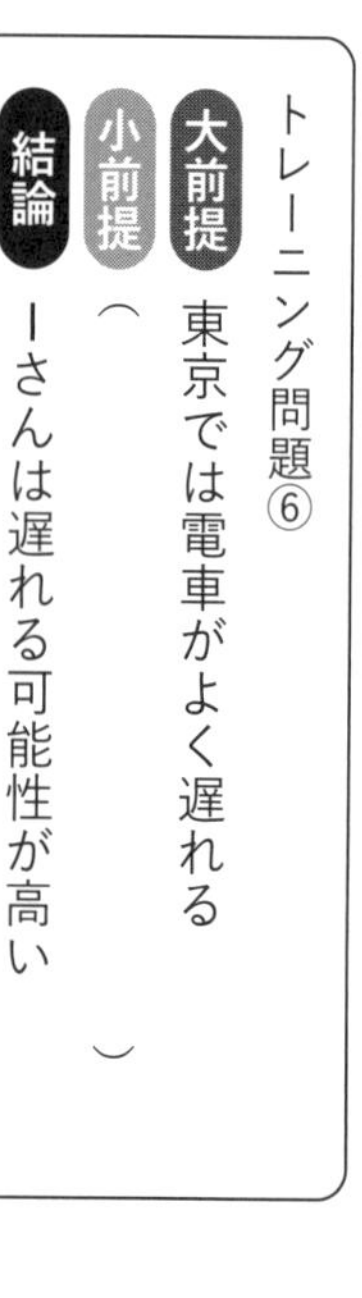
トレーニング問題⑥
大前提 東京では電車がよく遅れる
小前提 （　　）
結論 Iさんは遅れる可能性が高い

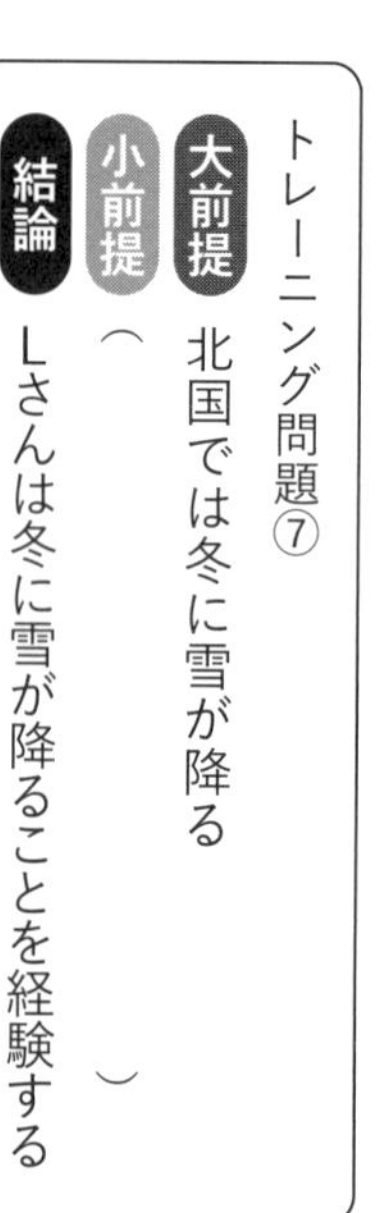
トレーニング問題⑦
大前提 北国では冬に雪が降る
小前提 （　　）
結論 Lさんは冬に雪が降ることを経験する

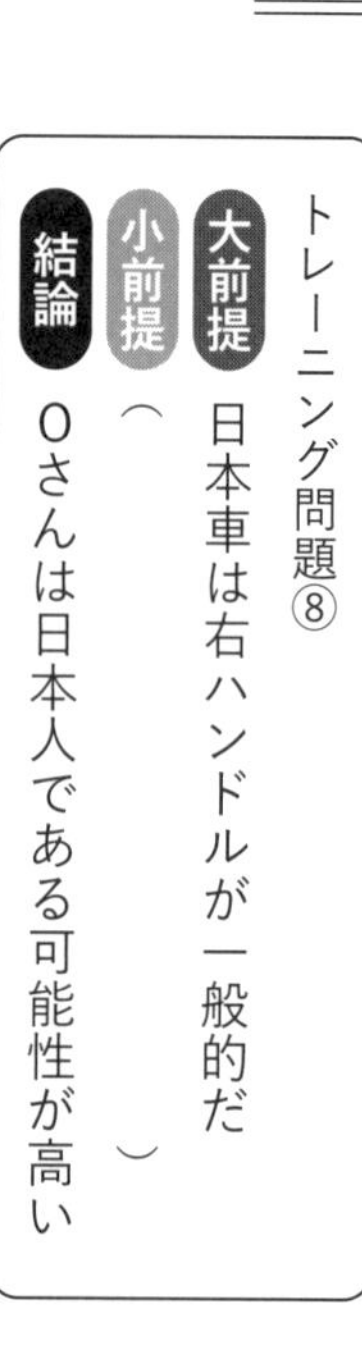
トレーニング問題⑧
大前提 日本車は右ハンドルが一般的だ
小前提 （　　）
結論 Oさんは日本人である可能性が高い

まとめ

- 相手がどんな「大前提」で話しているのかを考える癖をつける。
- 相手の頭の中の「大前提」を、表に出ている「小前提」と「結論」から探る。
- 「大前提」と「結論」から「小前提」（事実認識）を類推することができる。

議論力トレーニング3

合意形成に導く

日常生活でも三段論法は役に立つ

三段論法は「大前提に小前提を入れると結論が出る」というシンプルなものです。

この仕組みを理解していただくために、先のトレーニングではごく単純なロジックに取り組んでもらいました。

三段論法の仕組みに当てはめると、組織の意思決定や個人間の交渉ごとなどでも混乱をきたさずに議論ができるようになります。

現実の議題にはさまざまな論点が含まれているものですが、三段論法では、1つの理屈で複数の論点を扱うことはできませんから、三段論法を使えば自ずと論点が整理されることになります。

「まずはこの点について話しましょう」という具合に、ひとつひとつの論点について建設的に議論を進めていくことができるのです。

大前提の相違をすり合わせて合意に至る

前にも述べたように「価値観の対立」があると合意形成は一気に難しくなってしまいますが、それでも、三段論法の仕組みがわかっているのといないのとでは大違いです。

いったい何が合意形成を妨げているのかがわからなければ、議論は平行線をたどるだけですが、小前提から結論を導く際に用いられている大前提が、それぞれの価値観に基づいていることが対立の原因だとわかれば、解決の糸口がつかみやすくなります。

双方、あるいはどちらかが価値観において譲歩する、あるいは第三者が調整するなどが考えられるからです。

また、大前提は同じだけれども、小前提が異なっているために異なる結論に至っている場合は、小前提をすり合わせることで合意形成に導くことができるでしょう。
次に議論の具体例を3つ挙げます。これらは応用編のトレーニング問題にもなっています。
登場人物それぞれの会話について、「大前提」「小前提」「結論」、さらには両者の「対立ポイント」「合意形成ポイント」を考えてみましょう。

トレーニング問題⑨

1．プロジェクトの優先順位についての議論

社内プロジェクトについて、AとBどちらのプロジェクトを優先的に進めるべきか、社員aと社員bが議論しています。

社員a　プロジェクトAは短期的な収益性が高く、競合他社に先駆けて市場を獲得することを可能にします。したがって、プロジェクトAに優先的にリソースを割くべきです。

社員b　それはたしかに一理ありますが、プロジェクトBは企業の長期的な成長と競争力の強化のために重要です。よってプロジェクトBにリソースを割くべきだと考えます。

社員a　長期的な視点は重要ですが、短期的な収益性を確保しなければ、企業は成長できません。プロジェクトAの優先順位を上げるべきです。

社員b　短期的な収益性だけを追求すると、長期的な競争力が損なわれる可能性があります。2つのプロジェクトそれぞれに適切なリソースを割くバランスが重要ではないでしょうか。

社員a　たしかにバランスは大事です。では、両方のプロジェクトの優先度を再評価し、リソースを再分配することを検討しましょう。

以上の議論から、社員a、社員bそれぞれの論理を書き出し、対立ポイント、合意形成ポイントを整理しましょう。

①社員aの論理

大前提（　　　　　　　　　　）
小前提（　　　　　　　　　　）
結論（　　　　　　　　　　）

②社員bの論理

大前提（　　　　　　　　　　）
小前提（　　　　　　　　　　）
結論（　　　　　　　　　　）

③対立ポイント（チェックを記入する）

□大前提
□小前提

④合意形成ポイント
（　　　　　　　　　　　　　　　　　　　　　　　　　　）

トレーニング問題⑩

2．社員の勤務時間についての議論
社員と上司が、社員の勤務時間について議論しています。

社員　勤務時間帯を自由に選べる、柔軟な勤務時間制度を導入することで、社員の生産性が向上し、仕事とプライベートのバランスがとれると思います。この制度を導入すべきだと考えます。

上司　社員の生産性向上、仕事とプライベートのバランスはたしかに重要です。しかし柔軟な勤務時間制度を導入すると、チーム内のコミュニケーションが減少し、情報やアイデアの共有が不十分になって、プロジェクトの進行に支障をきたす可能性があります。従来の勤務時間を維持すべきだと思います。

社員　コミュニケーションが減少するという懸念は理解できますが、適切なコミュニケーションツールやスケジュール管理ツールを利用すれば、その問題は解決できると思います。柔軟な勤務時間制度を導入する利点は大きいと考えます。

上司　たしかにそうかもしれません。しかしコミュニケーションツールやスケジュール管理ツールの導入コストについてはいかがですか？　費用面、労力面で過度な導入コストがかかるようであれば、やはり賛成できません。

社員　その点は考慮すべきですね。では、まずツール導入コストの見積もりを出します。検証の結果、妥当なコストですみそうだという結論に達したら、導入を進めてもよろしいでしょうか？

上司　はい。過度なコストがかからないのであれば、試験的に導入しましょう。

以上の議論から、社員、上司それぞれの論理を書き出し、対立ポイント、合意形成ポイントを整理しましょう。

①社員の論理

（　　　　　　　　　　　　　　　　　　　）

（　　　　　　　　　　　　　　　　　　　）

結論（　　　　　　　　　　　　　　　　　　　）

②上司の論理

大前提（　　　　　　　　　　　　　　　　　　　）

小前提（　　　　　　　　　　　　　　　　　　　）

結論（　　　　　　　　　　　　　　　　　　　）

③対立ポイント（チェックを記入する）

□大前提

□小前提

トレーニング問題⑪

3．賃貸契約の更新についての議論

不動産仲介業者と大家が賃貸契約について、次のように議論しています。

不動産仲介業者　更新料および家賃について、現在の家賃水準が下がっていることを考慮すると、現行の金額よりも低くするべきです。

大家　しかし、これまで一度も更新料や家賃を値上げしていないため、どちらも現行の金額を維持すべきだと考えます。

不動産仲介業者　それは一理ありますが、近隣の物件では更新料が減額されている事例も多くあります。市場の流れに沿って更新料だけでも減額するべきだと思います。

大家　たしかに近隣の物件にはそのような動きがありますが、私の物件は修繕や管理に力を入れているため、他の物件と比べて価値があると考えます。

不動産仲介業者　修繕や管理は評価できる点ですが、それでも家賃水準の変化に対応するためには、更新料の減額が適切だと思います。

大家　それでは、現行の更新料は減額し、賃貸料を維持することで、両者の利益を保ちつつ市場の流れにも対応しましょう。

不動産仲介業者　それでいきましょう。更新料を一部減額して、賃貸料を維持する形で賃貸契約の更新を行いましょう。

以上の議論から、不動産仲介業者、大家それぞれの論理を書き出し、対立ポイント、合意形成ポイントを整理しましょう。

①不動産仲介業者の論理

大前提（　　　　　　　　　　　　　　　　　　　　　　　）

（　　）
（　　）

②大家の論理

大前提（　　）
小前提（　　）
結論（　　）

③対立ポイント（チェックを記入する）

□大前提
□小前提

④合意形成ポイント

（　　）

まとめ

- 三段論法では、１つの理屈で複数の論点を扱えないので自ずと論点が整理される。
- 大前提が対立の原因となっている場合、価値観において譲歩すれば合意できる。
- 大前提は同じで小前提が異なっているときは、事実関係をすり合わせて合意に導く。

価値観の対立を乗り越える

「好き嫌い」では、議論にならない

前項の〈議論力トレーニング3〉では、問題を解きながら、議論における合意形成の導き方を学びました。合意形成を難しくするものに価値観の対立があります。互いの価値観が対立してしまった場合にはどうすればよいのか、詳しく説明していきます。

三段論法の大前提が、「赤信号は『止まれ』のサインである」といった社会の不動の決まりや、多くの人が共有している社会通念・常識である場合は、同じ小前提を入れた場合、たいていは同じ結論に至ります。

一方、次のように大前提が個人の価値観に基づいている場合、自分と異なる価値観をもっている人を説得するのは難しくなります。

猫はかわいい

三毛猫が歩いている

結論　三毛猫はかわいい

同じ「猫はかわいい」という価値観をもっている人であれば、この結論に賛同できると思いますが、猫をかわいいと思ったことがない人には納得できない結論です。「かわいい」と思う人は思う、思わない人は思わない。それは個々の価値観なので、同じ結論に至るのは非常に難しいでしょう。いくら話しても、たいていは「思う、思わない」「好き、嫌い」「許せる、許せない」などと平行線をたどります。

議論とは、意見（価値観を背景とした理屈）の応酬です。ところが、議論慣れしていない人は、往々にして議論の場、意見を述べるべき場で「好き嫌い」を言ってしまいがちになります。

議論が苦手な人は、下手に意見を述べて理屈と理屈のぶつかり合いが白熱することを避けて、やんわりと「あくまでも私の感覚ですが……」程度の言い方にとどめておきたいのかもしれません。しかし、これでは議論になりません。「好き嫌い」でものを言われたら、こちらは何も言えなくなってしまいます。「好き嫌い」には反論の余地がないからです。「あなたの理屈はおかしい」というのは筋道立てて説明可能ですが、「あなたの好みはおかしい」とは言えません。

理屈でなく熱意を示すこともある

好き嫌いの対立は、結局価値観の対立であり、合意に達することが非常に難しくなります。

「好き嫌い」を言ってはいけないわけではありませんが、「好き嫌い」を言うのなら、「価値観の対立により、合意形成の道が閉ざされる可能性がある」という自覚が必要ですし、どうしても議論で平行線が続く際の最後のカードでもあります。

議論に不慣れなために、意見ではなく最初から好き嫌いを言ってしまう人がいますが、それでは議論になりません。ただ、相手との議論に終止符を打つ覚悟で、あえて「好き嫌い」を組上（そじょう）に載せるというのはありうることです。

弁護士同士でも、おのおのの依頼者の共同訴訟を検討するときなど、価値観が対立してしまうことがあります。

たとえば、共同訴訟の進め方として「方針A」と「方針B」を取りうるとして、どちらも理屈は通っており、勝てる可能性も同じくらいだとしましょう。でも、方針Bが私の価値観に合わなかったら、相手から方針Bを提案されても断ります。

「私のやり方（弁護士としての価値観）に合わないので、その方針では一緒に戦えません」――いってしまえば「好きではないから」という理由で協力を断ることがあるのですが、好き嫌いのレベルまでもち込むことが、理屈ではなく熱意を示すことになり、逆に「そちらがそこまで言うなら」と、折れてもらったこともあります。

見落としている事実はないか

価値観が対立すると合意が難しくなりますが、人の価値観は変化するものでもありますから、価値観の違いは絶対に乗り越えられないというわけではありません。

価値観が変化するきっかけはいろいろと考えられますが、典型的なものを1つ挙げるとしたら「新たな事実」です。先に、小前提に入る事実によって大前提が覆された例として「尊属殺重罰規定違憲判決」について述べましたが、さらに、法律の改正にまで至ったケースを紹介しましょう。

かつて飲酒運転は、社会的に今ほど厳しい目は向けられていませんでした。

もちろん警察に見つかれば罰せられましたが、「少し飲んだくらいなら、運転してもかまわない」「危ないかどうかは本人が判断すればよい」という社会通念がありました。罰則も比較的軽いものでした。

ところが1999年、東名高速で飲酒運転の大型トラックが乗用車に突っ込み、乗用車の後部座席に乗っていた2人の子どもが亡くなるという、痛ましい事件が起こりました。これをきっかけに飲酒運転に対する危機意識が世間的にも高まり、法改正により厳しい罰則が設けられました。

「飲酒運転による痛ましい事件」という新たな事実が、人々の価値観に変化をもたらした例といえるでしょう。

価値観に変化をもたらす事実は、この例のように「新たに生じた事実」である場合もあれば、「相手が知らなかった事実」の場合もあります。

ですから、「この人の大前提はどこかおかしいな」と感じたら、「価値観の違いは乗り越えられない」と諦める前に、いったん「何か見落としている事実があるかもしれない」という視点で考えてみましょう。

それが相互理解と歩み寄りの糸口になる場合もあります。

まとめ

- **議論とは、意見（価値観を背景とした理屈）の応酬。**
- **最初から「好き嫌い」を言ってしまうと議論にならない。**
- **「大前提がおかしい」と感じたら、「見落としている事実がないか」考えてみよう。**

第3章

応用編

議論を有利に進める

——弁護士が実践する論理テクニック

「事実」の見極めが、議論上手の鍵

事実とは「誰が見ても同じこと」

いかに議論を有利に進めていくか——本章ではより幅広い場面で議論上手になるための心得をお話ししていきます。

おさらいになりますが、三段論法は「大前提に小前提を入れると結論が出る」という構造になっています。

大前提のゆがみや欺瞞、大前提になっている偏った価値観を見抜くことができれば、そこで導き出された結論を受け入れずにすみます。

価値観の対立は容易には乗り越えがたいもので、話が平行線になりがちです。したがって、合意や妥結点を導き出す建設的な議論は、おおむね大前提を共有しているときに成立します。

他方、大前提に入れる小前提も見すごせません。社会通念、常識、一般的なルールといった大前提を共有していても、そこに入れる小前提（事実）によって結論が大きく変わってきます。

共有されている大前提に小前提として「どんな事実」を入れるか、その見極めが議論上手になる鍵なのです。そこで、「事実」について考えてみます。

そもそも「事実」とはいったい何なのでしょう？

ひとことで言えば、「誰が見ても同じこと」です。

個々の価値観や評価に影響を受けない、いわば「神様の視点から見た人間社会での出来事」です。簡単な例を挙げると、「A社の今年の売上は前年比120％だった」というのは、誰が見ても同じ「事実」です。

こうした数字の裏づけがあるものは事実認定がしやすいのですが、世の中にあるのはそういうものばかりではありません。

統計や数字など、動かしようのない裏づけがない場合は、何が事実の決め手となるでしょうか。

「多くの人が『事実』と認識しているものが事実」であり、「多くの人が『事実ではない』と考えるものは事実ではない」というとらえ方は危険です。事実はあくまでも事実であり、事実の存在は多数決では決まりません。まして現実の世界では、統計値や情報すら改ざん、加工されることがあるので、要注意です。

悪意や妄想が事実をゆがめる

こんなケースを考えてみましょう。

ある企業でセクハラの訴えがありました。上司Aが部下のBさんとすれ違うたびに体に触れたり、部内の宴会でBさんにしきりに下ネタを振ったりしていたため、Bさんが声を上げたのです。

ところが上司Aは社内の有力者であったため、AがBさんにセクハラ行為をしているのを多々目撃していたはずの周りの人たちは、人事部の聞き取り調査で、「セクハラなんてなかった」と口を揃えました。

ここで、多数決で事実が決まるのだとしたら、「Aはセクハラ行為をしていない」というのが事実になってしまいます。Bさんが体に触わられたり、性的な話題を振られたりしていたことが事実であるにもかかわらず、です。

あまりのことにBさんは、この一連の経緯を世間に明らかにすることにしました。現代の世間一般の常識に照らせば、上司Aの行為は明らかにセクハラです。

上司Aの行為が報道されると、社会的に「Bさんはセクハラを受けた」と受け止められました。それでも一部には「金目当てじゃないのか」などの声も見られました。こうした「悪意」や「妄想」で人を理不尽に攻撃する人が、残念ながら世の中には一定数います。

最近では誹謗中傷への対処が厳しくなってきていますが、民主主義社会の建前上、誰もが、いかなる意見でも、一応は発する権利があります。

Bさんが勇気を出して声を上げたことで、上司Aによるセクハラ行為はおおむね事実認定されました。しかし問題は、悪意や妄想によって事実をゆがめる人々の声が、事実の真相に直接近づくことができない多数の人（倫理的・常識的な人々）、に、多少なりとも影響を与える可能性があることです。

仮に世の中のほとんどの人が「Bさんが上司Aにセクハラを受けたのは事実」と受け止めたとしても、ごくわずかの悪意系・妄想系の人たちはやたらと声が大きいものです。いわゆる「ノイジーマイノリティ」です。彼らの声があまりにも大きいせいで、本来は倫理的・常識的な人たちのなかに、「Bさんが上司Aにセクハラを受けたというのは嘘であり、金目当てではないか」などと、影響を受ける人が出てきてしまいます。

こうして多くの人の意見が悪意の意見に押される構図になる場合があります。とくにSNSで誰もが発信できるようになっている現代において、反対意見をもつ人ほど意見を発し、声が大きく目につきやすいことがしばしばであり、それは大きな問題といえます。事実がゆがめられる可能性があるからです。

「数の論理」で事実をとらえてはいけない

今見たように、社内の保身をはかる社員たちの多数決によって「捻じ曲げられた事実」が「事実」になってしまう場合もあれば、「大多数が考える事実」が少数派の影響を受けてしまうこともあります。

「多数が認めているから」、あるいは「多数の意見は信用できないから」などといった「数の論理」で事実や意見を考えてはいけないということです。

「事実」とは、「神様の視点から見た人間社会の出来事」であり、本来ならば「誰が見ても同じもの」になるはずです。しかし人間は神様ではありません。個々にさまざまな価値観や思惑があります。

　そのために、「事実」を「事実のとおり」に受け止めず、恣意的、あるいは無自覚のうちに、個々の価値観や思惑をもって、表現者にとって都合のよい「解釈」を事実に加えてしまうことがあります。

　自分の意見を正当化するために、安易に「みんなが言っている」とか「○○さんも言っている」と言うのも避けるべきです。数の論理で事実は決まらないうえ、数は正しい評価ともかぎりません。権威のある○○さんが言っているとしても正しいとはかぎらないのが現実の社会です。

事実とは何か

事実
＝
神様の視点から見た人間社会での出来事

事実の存在は多数決では決まらない

セクハラの例

上司Ａから部下のＢさんがセクハラ行為を受けた

Ａが有力者だったために周囲はセクハラを否認
（多数決で捻じ曲げられた事実が「事実」になった）

Ｂさんは Ａのセクハラを世間に明らかにした

社会は「Ｂさんはセクハラを受けた」と受け止めた

一部の人が「金目当て」とＢさんを攻撃

倫理的・常識的な人々のなかに
悪意に影響を受ける人が現れた
（「大多数の考える事実」が少数派の影響を受けた）

「数の論理」で事実や意見を考えてはいけない

「他人の言説」を引用するのも詭弁の一種であり、「他人の言説」が正しいとはかぎりません。

一種の権威主義にすがるのも人間の常ですから、私たちは、個々の事実の取り扱いには慎重にならなくてはいけません。意見を述べる際には、その前提となる事実や意見をよく調べ、何が多数の意見か少数の意見かなどをよく調べてから、発言することがとても大事です。

まとめ

- **共有の大前提に「どんな事実」を入れるか、その見極めが議論上手になる鍵。**
- **「数の論理」で事実や意見を考えてはいけない。**
- **意見を述べる際には、前提となる事実や意見をよく調べてから発言する。**

弁護士が実践している事実の扱い方

「事実」が判決を左右する

法律の基本は三段論法です。裁判も基本は三段論法で行われます。ですから裁判に臨む弁護士は「より筋のよい三段論法」を組み立てられるように努力します。

もっとも重要となるのが、裁判で具体的に争われる「事実」、つまり大前提に入れる小前提です。

最終的な判決においては、裁判官の価値観（世間の常識）も大前提の一要素として影響しますが、それ以前に、法律に関わる者は、「〇〇の罪を犯した者は△△という罰に処する」と定めた「条文」という大前提を知識として共有しています。

法律の条文自体は論理的に中立であり大前提です。したがって判決（結論）は、どの条文を採用するのかという大前提がまず決まれば、その条文に投げ入れる「事実」によって結論が変わるだけです。先述したとおりです。

そこで弁護士は、なるべく依頼者の利益に適うよう、条文に投げ入れる事実を検討します。よい弁護士ほど、事実の探求と調査に熱心に取り組みます。

依頼者本人に念入りにヒアリングし、根拠を集め、書面にまとめ……となると、かなり時間も労力もかかります。正直、そこまでしなくても答弁はできます。とはいえ、何がどう転んで判決に影響するかわかりませんから、万全を期します。

一般に、「弁護士の仕事は答弁であり、主戦場は裁判所」というイメージがありそうですが、答弁に立つ前に、裁判を有利に進めるための事実を十二分に提示できるように、膨大な時間をかけ事実の調査と準備・検討を行っているのです。

弁護士として、こうした事実を探求する能力、つまり事実を把握し、依頼者や関係者から聴取する能力、裏づけをとるなどの事実を調査する能力、そして集めてきた事実をさらにわかりやすく書面に作成する能力が最低限必要であり、弁護士の能力差は、このような点に表れるといっても過言ではありません。

事実の扱いに強弱をつける

裁判ではもちろん虚偽の発言は許されませんし、事実を隠蔽してもいけません。ですから、「依頼者に都合のよい事実」だけを強調するのではなく、「依頼者に都合の悪い事実」にもそれに合理的な理由があることを正直に伝えます。不利な事実を隠したということで、あとで劣勢に傾かないように努力します。

訴訟にまで発展しているケースでは、たいていの場合、双方に有利な点も不利な点もあります。不用意に不利な点を見せれば、必ずそこにつけ込まれます。依頼者の代理人である弁護士としては、依頼者に不都合な事実にも「合理的な理由があった」ことを説明できるだけの材料を提示しなければなりません。

この不利な部分についての説明を事前に検討し準備する手法は、会社で企画を通したいときや、チームの議論をある方向に導きたいときに、予想できる質問に対する事前準備にも活用できるでしょう。

「伝える順番」の工夫で、印象が変わる

弁護士は、事実の「伝え方」「伝える順序」などを工夫して裁判官の意識を変える努力も必要です。

事実を伝える順序を工夫するというのは、たとえば証拠を出す順番としては、通常、A→B→C→DであるところА、一番重要なDから証拠を出して、その後、A→B→C→という具合に順序を変えることです。

「いつ、何があったのか」という事実に手を加えるのは虚偽に当たるので、もちろんタブーですが、「伝える順序」を変えるだけで、与える印象が大きく変わることが多いのです。この話は、恋愛に当てはめてみるとわかりやすいでしょう。

意中の相手にアプローチするとき、いきなり「好き」とは伝えにくいでしょう。「食事に行きませんか」「映画に行きませんか」といった打診をしたり、自分自身について話したりすることが先にくることが多いはずです。

時系列でいえば、もうとっくに「好きになっている」のに、たいていの場合、その

事実を伝えるのは何度か一緒に出かけ、会話を交わし、だいぶ距離が縮まってきてからです。

いきなり「好き」と伝えると、相手が自分のことをほとんど知らない段階では警戒されることもあるでしょう。だから、まず一緒に過ごす時間をつくり、自分の人間性や趣味嗜好などの周辺情報（事実）を徐々に開示していきます。

こうして、よい感じになってきたと思えたら、ようやく、時系列的には最初に感じていた「好き」という事実を伝える。裁判で行われていることも、この恋愛の例とよく似ています。

裁判官を意中の人とすれば、相手に自分を気に入ってもらえるよう、つまり依頼者の代理人である自分の話を受け入れてもらいやすくなるように、事実を開示する順番を工夫するというわけです。とくに、こちらが引き出したい判決と裁判官の価値観に大きな乖離（かいり）がある場合は、事実の伝え方、伝える順序が重要です。

いきなり大きな乖離が見えてしまうと「そんな結論は無理でしょう」と裁判官が最初から偏見をもったまま裁判が進んでしまうことにもなりかねません。その時点で敗訴が確定するようなものです。

価値観は不動ではなく、大前提に入ってくる事実によって変化する可能性がありま す。そこで裁判官の予断をなくすために、当該事件の内容にすぐに入らず、たとえば、これまでの学説の流れや海外の最先端の法制などを丁寧に説明したうえで、日本の現状は遅れているという事実の提示をし、そのうえで当該事件を見てもらうという方法をとることもあります。それによって、いかに日本の法律やその法解釈が遅れているかを裁判官に認識してもらえる可能性が高まります。

こうして少しずつ裁判官の価値観（「無理でしょう」という価値観）とこちらの価値観（「日本が遅れている」という価値観）のすり合わせをし、現行法の解釈を変えていくことも、弁護士の仕事なのです。

マインド・コントロールに使われる手口

じつは、このように「伝える順序を工夫する」方法は、旧統一教会などが勧誘の際にマインド・コントロールに使う手口として使用される場合もあります。

たとえば、旧統一教会では教団名を隠して勧誘する「正体隠し伝道」がマニュアル化されていました。

まず街頭などで声をかけ、教義を教え込む施設であるビデオセンターに誘い込みます。そこから2日間のセミナー、4日間のセミナー等に参加させます。こうして勧誘された人は、「個人対組織」というアウェイな構図のなかで、次第に教団側の意のままに心がコントロールされてしまうのです。

どういう団体なのかを明かされないまま、甘い言葉に誘われてセミナーなどに参加し、気づいたときには抜け出せないところまで入り込んでいる。旧統一教会は、そんな状況をつくって伝道を行ってきたわけです。旧統一教会側の言い分は、「教団名を言うと相手が警戒して話を聞いてくれなくなる」というものです。

オウム真理教でも同様のことが行われてきました。表向きはヨガ教室で、誘われて行ってみたら宗教の勧誘だった。そんな体験談をよく耳にしました。

弁護士が裁判官に対してやっていることも、みなさんが意中の人に対してやっていることも、そしてこうした団体が勧誘相手にやっていることも、仕組みはよく似ていいます。「はじめに」でも書きましたが、マーケティングでも、こうした説得の技術はよく使われています。しかし問題は、この手法の悪用です。

人の一生を左右するような宗教活動に邁進させるための信者を養成する伝道活動に関して、教団名を言うと相手が警戒して話を聞いてくれなくなるからといって、その正体を隠す勧誘が許されてよいわけはありません。その結果が相手を苦しめ、被害者を生み出す結果にもなりうるのです。

「伝える順序」次第で、相手に与える印象が大きく変わることは、自分の身を守るという観点からも覚えておくべき知識です。

まとめ

- 小前提に入れる「事実」によって結論が変わる。
- 自分に不利な部分については、説明を事前に検討し準備する。
- 「事実を伝える順序」を変えるだけで相手に与える印象が変わる。

「事実」を正確に伝える

事実ほど強いものはない

議論の場のみならず、人間の社会や文化全般に影響するものとして、「事実」ほど強力なものはないかもしれません。

私は、「事実さえ注視していれば、正義を見誤ることはない。すべての川が海に流れるごとく、事実は自分を正義へと導いてくれるのだ」という信念で、今まで弁護士をやってきました。

当初は勝てそうになかった裁判で、丁寧に事実を明らかにしたことが裁判官の価値観（結論を導くための大前提）に影響し、こちらの主張が受け入れられたケースも少なくありません。たとえば、次のように裁判官に訴えます。

現在の法律や過去の判例に鑑みれば「A」という結論となるが、当該事実を加味すると杓子定規に条文や判例にしたがうことは妥当ではなく、弁護人としては結論「B」が妥当であると考える——。

53ページで触れた「例外的事情」への配慮を裁判官に求め、こちらが望んだ判決「B」を引き出すという具合です。すると裁判官に、「たしかに、こういう事実があるのに、それを踏まえずに判決を下すことはできない」といった心理が働きます。

徹底的に事実を突き詰め、伝える

裁判にかぎらず、新しい事実が世の中の価値観を変え、それによって法律に変更が加わるというのも現実ではよくあることです。

たとえば、女性の参政権がそうです。

今ではほとんどの国で認められている女性の参政権ですが、女性が政治参加できないのは20世紀の初めまで世界的に当たり前でした。日本で女性の参政権が認められたのは１９４５年、終戦直後のことですから、まだ１００年も経っていません。

女性にも参政権を認めるという法律の変化は、かつては家庭内に閉じ込められ、男性を支える役割を担わされてきた女性が、社会に出るようになったことと無関係ではありません。

「女性の社会進出」という新しい「事実」が、「政治に参加する権利は男性だけのものである」という価値観を変え、それが女性の参政権を認める法改正へとつながったのです。

世界で初めて女性の参政権（選挙権のみ）が実現したのは１８６９年、アメリカ・ワイオミング州でのことですが、欧米で広く女性の参政権が認められたのは20世紀に入ってからでした。

現代に生きる女性たちが当たり前のように行使している権利が、当たり前になるまでには、１世紀もの年月が費やされました。年月はかかりましたが、事実は確実に法律を変えました。私はこうしたケースについて学んだり実際に体験したりするにつけ、やはり「事実は理屈よりも強い」という考えを新たにします。

事実はそれほどまでに強いものだからこそ、事実を突き詰め、伝える努力が重要なのです。

ある事実によって、今すぐに状況を変えることはできなくても、今の時点で突き詰め、伝えている事実が、10年後、20年後の社会を変える日がくるかもしれません。みなさんは日ごろあまり意識しないことかもしれませんが、三段論法の心得の1つとして、「事実」には相当な重み、強さがあることをぜひ覚えておいてください。

まとめ

- **新しい事実が価値観を変える。**
- **事実は理屈よりも強い。**
- **事実を突き詰め、伝える努力が重要。**

「意見」とは「仮説」である

意見は時と場合次第で変わるもの

「意見」とは、ある事実に対する単なる評価ではなく、自分の価値観をもとにした理屈を伴っているものです。第1章でお話ししたことを思い出してください。

価値観に基づく大前提に事実を入れると、結論として、その事実に対する自分なりの意見が出てきます。この話に、先ほどから話している「事実の強さ」を加味すると何がいえるでしょうか。

事実は理屈よりも強く、ときに価値観を変容させ、そこから導き出される結論に変化をもたらす場合があります。これを個人の意見に当てはめると、新しい事実が大前提の価値観に影響を与え、意見が変わる場合があるということです。

要するに、意見とは、事実の重みによって結論が変わる「暫定的(ざんていてき)な仮説」なのです。

自分がもっとも根本的なところで大事にしている大きな価値観は変わることはなくても、個々の価値判断の基準は、事実（新たに知った事実、事実認識の修正、時代の変化など）によって、いつでも変化する可能性があります。

よく意見の首尾一貫性を重視する人がいますが、意見を永遠に変えるなというのは、議論の重要性に対する無理解からきているというべきです。

むしろ一度もった意見を固持しようとする人は、事実（あるいは新たに得た知識）によって意見が変わることを拒否しているということです。狭量で柔軟性に欠けるため、

やがて物事を大きく見誤る可能性もあります。

途中で意見を変えるのは恥ずかしいことだと思っている人も多いでしょう。

しかし、「新たにこのようなことを知ったので、こういう意見になりました」と説明できるのであれば、「適宜、意見を変えること」こそが、意見をもつ一個人としてふさわしい態度であるといえます。

人間は神様ではありません。知らないことだらけのなかで、何とか現時点で知り得たことをもとに「仮説」としての意見をもっているだけです。

今後、新たに知り得る事実によって、意見が180度変わるかもしれません。また、そもそも自分の事実認識が誤っている可能性もあります。そこで重要なのは、自分を過信せずに世の中に対して謙虚であることです。

謙虚であれば新しい事実を素直に受け入れることができますし、また、自らの事実誤認にも早めに気づき、意見を軌道修正することもできます。「わからない」ことに対して素直に「わからない」と言うこともできるでしょう。

絶対に正解といえる意見は存在しない

一番やっかいなのは、事実誤認を周囲から指摘されているにもかかわらず、一切耳を貸さず、意見を曲げない人です。

プライドが邪魔することもあるのでしょうが、こういう人は事実誤認を認めて意見を修正することができないため、議論の余地がありません。

価値観の対立よりもタチが悪いといってもよいくらいです。

どれほど博識な人も、森羅万象すべてを知ったうえで、絶対的に正解といえる意見をもつことなどできません。

私たちは生涯、目の前にある事実によって仮説を立て、その仮説を通して世の中を眺め、また新たに知り得た事実によって仮説を見直す。これを繰り返していくしかないのです。本物の知識人ほど断定調でものを言わないのは、それがよくわかっているからでしょう。新しい事実によって仮説を見直すこと、これも議論をするうえでの心得の1つです。

まとめ

- **意見は、事実の重みによって結論が変わる「暫定的な仮説」。**
- **事実によって意見が変わることを拒否してはいけない。**
- **新たに知り得た事実によって仮説を見直し続ける。**

「それは主観ですよね」と言ってはいけない

「論理の希釈」は厳禁

議論においては、「論理の希釈（きしゃく）」をしてはいけません。

希釈とは一般に溶液を薄めることをいいますが、論理の希釈とは、その人の論理に直接反論するのではなく、別の論点を提示することで、論点をすり替え、もともとの論理自体の正当性を低めることで、議論から逃げることです。

「それはあなたの主観ですよね」と言うのは、その典型例です。

議論とは互いの意見を述べ合うことであり、意見とはそもそも客観的なものではありません。

もちろん、客観的な事実や、自分の意見をサポートする第三者の引用など、根拠を伴う理屈がなくては相手に説明できません。しかしあくまで、個人の意見を決定づけるものは個人の主観（価値観）です。

「自分の価値観をもとに理屈を組み立て、説明可能にしたもの」が意見なのですから、もともと意見とは主観的なものです。

そして議論の場では、それぞれの価値観のもとに組み立てられた理屈の部分の話をしようとしているわけです。

それなのに意見のベースになっている価値観を取り沙汰して、「それはあなたの主観ですよね」と言うのは、大前提の根本をただ言い換えているだけで批判としてまったく成立していません。

相手は「それはそうでしょう」と返すほかなく、いわば「議論からの逃避」であり、これまでの議論が時間の無駄になるだけ。これを論理の希釈と呼ぶのです。

逆に、理屈の話をするのが議論なのに、十分に理屈立てて考えられていないために、主観だけを押し通そうとするのも、一種の論理の希釈といえます。

物事を「好き嫌い」だけで語ろうとするのではなく、議論を成立させるには、「なぜ好きなのか」「なぜ嫌いなのか」という具合に考えを深め、好き嫌いという単なる評価を理屈にまで落とし込む必要があります。

人間は言葉の生きものです。「好き嫌い」といった感覚的なところを言葉、理屈で説明できて初めて議論が成立します。

物事を「好き嫌い」で語ろうとする人に出会ったら、「それは主観ですよね」と言いたくなったときでも、「その感覚的なところを、もう少し理屈を立てて説明してもらえませんか」と投げかけてみるのも1つの方法です。

それでも何も理屈らしきものが出てこなければ、その人とは議論が成立しないと諦めるしかありません。

罵倒句など「反論できない言葉」は使わない

反論ができない言葉（反論可能性のない言葉）を使うのも、相手を言い負かすことを目的にしているタイプの人が陥りがちな論理の希釈の一種です。

そういうタイプの人は、反論を封じることで議論の道を閉ざしているだけなのに、相手が黙ったことを「論破した」と勘違いします。

この、もっとも幼稚な例は「罵倒句」です。「バカ」「アホ」など、ほかにもここで書くことすら憚られるような罵りや、相手の職業批判、人格否定はとうてい議論の場に似つかわしくありません。低レベルすぎて話になりません。「バカ」と言われても、相手は「私はバカではありません」と答えるほかなく、無意味な応酬になるだけで、まったく実りがありません。

そのほかにも、ネットでは「あなたは本当に〇〇ですか」という発言を連発する人がよくいます。〇〇の中には職業が入ります。学者、学校の先生、議員、弁護士などを入れてもらえればわかりますが、答えは「私は〇〇です」となるだけで議論になりません。これも、相手を小馬鹿にするためだけの罵倒句の一種と言うほかありません。

実際にあまりに馬鹿げた議論であったとしても、どこに疑問があるかを明示して、相手が議論しやすいような発言をすべきです。

憲法学者に向かって「憲法も知らない」とか、弁護士に向かって「弁護士なのに法律を知らない」などと言うのは、自ら議論下手だという愚かさを公言しているようなものなので、避けるべきです。

「あなたはわかっていない」もNG

「あなたはわかっていない」という反論もダメです。

相手がわかっていない点を具体的に指摘しなければ、相手は「わかっていますよ」とか「あなたこそわかっていない」と反発されるだけで議論になりません。「あなたは本当に学者ですか？」といった反論と同じで、これも罵倒句の一種だということを心しておきましょう。

「あなたの理屈は理解できない」というだけの反論も反論可能性のない言葉です。「理解できない」と言われた側は、理解する努力を一方的に放棄されているわけですから、「そうですか」としか答えようがありません。その時点で議論の芽は摘まれてしまいます。

自分にも意見があれば、当然、相手にも意見があります。そうである以上、議論するには、相手の理屈を汲み取って、さらに自分の理屈を立てなくてはなりません。「あなたの理屈は理解できない、ゆえに間違っている」という理屈は成立しません。「あなたとは価値観が違う」と言われた場合、価値観の相違は容易には乗り越えられませんが、どういう理屈で価値観を組み立てているのかを互いに汲み取り合えば、議論をきちんと進めることができます。

まとめ

- **個人の意見を決定づけるものは、あくまでも個人の主観（価値観）。**
- **議論では相手が反論ができない言葉を使ってはいけない。**
- **お互いの価値観を組み立てている理屈を汲み取り合うことが大切。**

「特殊事例」を拡大解釈しない

例外は、あくまでも例外として扱う

議論において、「論理の希釈」と同じくらいタブーと考えてほしいのは「特殊事例の拡大解釈」です。

特殊な事例を、あたかも一般的であるかのように提示してはいけません。

前述したとおり、「こういう場合もある」と、あくまでも例外的な事情として言及するのはかまいません。特殊事例が取りこぼされないよう、相手から譲歩を引き出して「但し書き」や「例外事項」を設けるのも、合意形成においてはよくあることです。

しかし特殊事例を、例外として扱うのと拡大解釈して大前提を変えるのとでは、ま

ったく意味合いが違います。

例外として扱う場合は、「原則はAとするが、Bのような特殊事例の救済措置としてC条項を設ける」となりますが、拡大解釈の場合は、「BのためにAは全撤回し、Cを原則とせよ」となります。

例外として扱う……原則はAだが、特殊事例Bの救済措置としてC条項を設ける

拡大解釈する……BのためにAを全面撤回してCを原則とする

ここで、1つ具体例を挙げましょう。

今、日本では「親権制度」の見直しが進められており、両親が離婚した場合に父母両方が親権をもつ「共同親権」の導入に向けて検討が重ねられています。

欧米では当たり前の共同親権を日本にも導入しようという話なのですが、これに反対している人たちがいます。いわく「共同親権を認めたら、DVから子どもを守れなくなる」というのが反対理由です。

たしかに家庭内暴力から逃れるために離婚を選ぶ人はいます。しかし全員ではありませんし、夫婦としては別離しても、2人とも子の親であることは変わりません。子どもに害悪を及ぼすなど、よほどどちらかに親としての問題がないかぎりは、子どもの立場からすると、共同親権とするのが妥当と考えられます。欧米でもそう考えられて、現在では共同親権の制度が導入されています。

したがって親権制度は、「原則は共同親権とするが、家庭内暴力のような特殊事例の救済措置として、離婚原因によっては例外的に単独親権とする」ということでよいはずです。共同親権を導入することで、DVから子どもを守れなくなるわけではないのです。

離婚の原因は夫婦によってさまざまです。必ずしも、片方が絶対的に親としての資質に欠けるから離婚するわけではありません。両方ともよい親なのに、どうしても夫婦間の不和を解消できなかった、そういうケースのほうが圧倒的に多いのです。

にもかかわらず、反対意見は「家庭内暴力を理由に離婚を選んだ側の親のために、共同親権の導入は全撤回し、単独親権のままとせよ」と論じているわけです。原則と例外がひっくり返ってしまっている。この理屈のおかしさは誰の目にも明らかではないでしょうか。

特殊事例を拡大解釈すると結論を誤る

特殊事例の拡大解釈は、事実誤認の一種といってもよいでしょう。

先ほどの親権制度の例でいうと、「共同親権が妥当なケースが大半で、例外的に単独親権のほうがよいケースがある」というのが事実なのに、「家庭内暴力による離婚という特殊事例」の拡大解釈によって誇張された事実認識のもとで、「共同親権が妥当と考えられる大半のケース」が見すごされ、ないがしろにされています。

弱い立場の人を守りたい気持ちはわかりますが、そう思うあまり事実を見誤っては結論も誤って当然です。

もちろん共同親権の制度を導入しても、特殊事例は別の制度で手当てされることになりますが、原則は共同親権というのが諸外国の考え方で、日本だけが遅れています。

法とは「例外的事情に配慮しながらも、最善をめざす」ものである以上、こうした

「特殊事例」をどう扱うか

例外として扱う

原則はAとするが、
B（特殊事例）の救済措置としてC条項を設ける

拡大解釈する

B（特殊事例）のためにAを全撤回し、Cを原則とする

親権制度の例

「共同親権」の導入を検討する

⬇

離婚は
夫婦間の不和を解消できなかったケースが圧倒的に多いが、
家庭内暴力（DV）を理由とするケースもある

DVのケースを例外として扱う

原則は共同親権とするが、
家庭内暴力のような
特殊事例の救済措置として、
離婚原因によっては例外的に
単独親権とする

DVのケースを拡大解釈する

家庭内暴力を理由に
離婚を選んだ側の親のために、
共同親権の導入は全撤回し、
単独親権のままとする

最善を考えない意見はとるべきではないでしょう。

共同親権の議論の例を挙げましたが、「特殊事例を拡大解釈するべからず」という原則は、どんな議論の場にも当てはまります。相手がこの禁を犯していないか、また自分自身がこの禁を犯していないか、気をつけましょう。

まとめ

- 議論において、「特殊事例」を拡大解釈するのはタブー。
- 特殊事例は、あくまでも例外として扱う。
- 原則と例外がひっくり返ってしまっていないか、確認してみよう。

「建設的な質問」をする

「愚問」とは何か

議論とは意見を交わすことですが、実際に議論を前に進めるのは「質問」です。したがって建設的な議論にするためには、「建設的な質問をする能力」が欠かせません。

では、建設的な質問とはどのような質問でしょうか。これは先に「愚問」とは何かを考えたほうがわかりやすいでしょう。

議論慣れしていない人は、質問も苦手な節があります。質問慣れしていないことが、議論下手につながっているといってもよいかもしれません。しかし難しく考えずとも、愚問さえ避ければ、まずはオーケーです。愚問とはどんな質問か――。

まず、「自分の意見や見解が含まれていない質問」です。

端的に言えば、相手が「AはBゆえにCである」と意見を述べたときに、それに対して、①「AはBゆえにCであるとおっしゃいましたが、それはどういうことですか？」と言うのは愚問です。オウム返しの質問にすぎません。

自分の考えを先に示して、②「AはBゆえにCであるとおっしゃいましたが、私は、AはDである、ゆえにEであると考えています。この意見についてはどう思われますか？」と質問すべきです。

また、③「AはBゆえにCであるとおっしゃいましたが、私はBについてこのように考えています。いかが思われますか？」と言うのも、愚問ではありません。

①と②③の違いは、相手にさらなる思考を促すかどうかです。①のように聞かれても、相手は「だからAはBゆえにCであるということです」と、同じ説明を繰り返すしかありません。場合によっては、こちらの話をよく聞いていなかったのではないか、と疑われるだけです。これでは、議論は前に進みません。

それればかりか、質問の意図がつかめないために、相手は「そんなことを聞いてどうするんだろう？」といぶかしく思い、結果的に、揚げ足取りをしているように受け取られる可能性もあります。

しかし②のように聞かれると、相手は「AはDである、ゆえにEであるという意見にも妥当性はあるだろうか？」と考えて応答することになります。③の場合は、質問にあった「Bに関する見解」について考え、応答することになります。

議論とは、このように「意見・見解を含んだ質問」の応酬によって、さらなる思考を互いに促すことで前に進んでいきます。

「何のための質問か」を明示する

つけ加えると、相手の話していることがよくわからなかったときに、自分の理解を助けるために行う質問は愚問ではありません。

ただしその場合でも、先ほどの愚問の例のように相手が同じ意見を繰り返すしかないような聞き方をするのではなく、「どこがどうわかりにくかったのか」「どこをもう少し詳しく聞きたいのか」を明確に示す必要があります。

「AはBであるとおっしゃいましたが、Bがどのようなものか、私には具体的なイメージが湧きませんでした。詳しくお話しいただけませんか？」という具合です。理解を助けるための質問は、「どこがどう、自分にはわかりにくかったのか」「自分は、どこをもう少し詳しく聞きたいと思ったのか」を明示するという点で、「自分の見解」を含んでいます。

自分の意見に対する意見を聞くため。自分の見解に対する見解を聞くため。理解を深める補足説明を聞くため（大前提や小前提の認識をすり合わせるため）——このように「何のために聞くのか」という意図が伝わる質問が、建設的な質問です。

まとめ

- **建設的な議論にするためには、「建設的な質問をする能力」が欠かせない。**
- **自分の意見や見解が含まれていない質問は「愚問」。**
- **建設的な意見とは「何のために聞くのか」という意図が伝わる質問。**

第4章

議論力を磨く習慣

――異なる価値観に触れ、謙虚に学ぶ

議論力の源泉は「事実」と「知識」

トンデモ理論に陥る人

どのように筋の通った理屈を組み立てるか――。

「意見」とは、どのように構築するものなのか――。

どのように、さまざまな議論において冷静に、かつ相手に振り回されないように気をつけながら建設的な議論を進めるか――。

これらに関しては、今までお話ししてきたことをしっかり頭に入れて実践していただけばよいでしょう。ただし、いくら論理の仕組みや議論の心得を押さえていても、「源泉」がなければ実践できません。

議論力の源泉とは「事実」と「知識」です。

議論において「正しい事実認識」が重要であることは、前章でも強くお伝えしました。知識も同様です。

たとえば「新型コロナウイルスのワクチンは、人口を減らすための生物兵器だ！」といった、いわゆる「陰謀論」などのトンデモ理論に陥るのは、正しい知識が欠けているからにほかなりません。

三段論法でいうと、不自然に極端に捻じ曲げられた知識が大前提になっているため、結論も不自然で極端なものになっている。これが陰謀論です。

そうした大前提をもつ人は、投げ入れる小前提（事実）もまた不自然に極端に誤認されている場合がほとんどです。おかしな設定になっている大前提に、おかしな解釈をされた小前提（事実）を入れるわけですから、おかしな結論が出てきて当然です。

こちらに良識、常識があれば一蹴するだけです。しかし、正しい知識がなく、少し心が弱くなっている人は、「ここに世の中の9割の人が知らない事実がある！」などという言葉に騙されてしまいます。

議論力の源泉を増やす

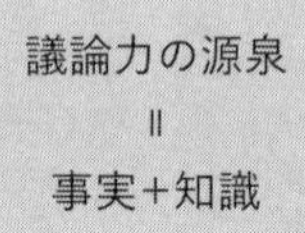

議論力の源泉

＝

事実＋知識

正しい知識が欠ける

おかしな大前提にゆがんだ小前提（事実）を入れて
極端な結論になる

「新型コロナウイルスのワクチンは生物兵器だ」
陰謀論などトンデモ理論に陥る

実体験から得た事実と知識

＋

疑似体験から得た事実と知識

本を読む

人と話す

疑似体験で「源泉」を蓄える

事実と知識はにわか仕込みでは習得できません。日ごろの習慣がものをいいます。しかし、日常で自分自身が体験できることはごくわずかです。体験で得たごくわずかな事実や知識を議論の源泉にするのは、あまりにも心もとない。実体験だけから得られた事実、知識では狭すぎるので、議論力はほとんど磨かれないでしょう。では、どうしたら幅広い事実と知識を習得できるか。それには、さまざまな疑似体験をすること。その基本は「本を読むこと」「人と話すこと」の2つです。

まとめ

- **議論力の源泉は「事実」と「知識」。**
- **不自然に捻じ曲げられた知識が大前提になると、結論も極端なものになる。**
- **幅広い事実と知識を習得する基本は「本を読むこと」「人と話すこと」。**

「トンデモ本」に騙されない読書法

まずは「5冊」、手に取ってみる

最近では「読む」というと、ネット情報をイメージする人も多いかもしれません。人名や出来事の年号など基礎的な事実を知りたいときにはネット検索が便利ですが、もう少し踏み込んだ事実や知識を得るには、やはり本が最適です。

ネット上では誰もが発信できるため、ネット情報は否が応でも玉石混淆（ぎょくせきこんこう）になります。そのうえ、せっかくの正しい情報も、インターネット上ではたいてい分散してしまっています。スマホを操作してできるネット検索は、効率的なように見えて、何かを体系的に知るには非常に非効率的な手段です。

本は、体系づけられた知識情報（事実）が1冊にまとまっています。読書ほど確実で効率的な知識習得法はほかにありません。

では、どんな本を読めばよいか。本選びに迷う人もいるかもしれません。未知の分野の知識を身につけようとするときは、「最初に手に取る本」はきわめて重要です。「最初に手に取る本」は、いわば生まれたばかりのヒヨコが最初に目にする親鳥のようなものです。無条件に信じてあとをついて行ってしまうのが、万が一、トンデモ本だったら大変です。その本を親のように信頼してしまうと、その後、同じ系統のトンデモ知識を積み上げていくことになってしまいます。

これを避けるには、同じ領域に関して「最初に手に取る本」を1冊に絞らないことです。最低でも5冊は同時に購入して、とにかく全部読み切るようにしてください。ランダムに選んだとしても5冊あれば、1冊くらいはトンデモ本に当たる可能性があっても、すべてがトンデモ本ということはないでしょう。

学問の領域ですら「多数説」「少数説」「有力説」「極少数説」などがあり、「極少数説」には、非科学的な説やトンデモ学説などが含まれてきます。そうした説を信じ込まないために、複数の本に目を通すのです。

ラーメン店やピザのお店も、ランダムに5軒行ってみると、おいしい店、普通の店、まずい店というのが出てくるでしょう。それと同じです。

まずい店には今後行かなければよいだけですが、本の場合は、専門家でもなければ、最初の1冊が「まずい本」か否かの区別はつきにくいのが現状です。とにかく5冊に目を通すことで、どれか1冊、1つの説を「親」と信じ込んでしまうのを避けられます。いわば、数がリスクヘッジになるわけです。

良書との出合い方

1つのテーマについて5冊も読めば、内容的な共通項が見えてきます。

「この点についてはは5冊のうち4冊で言及されていて、見解も共通している」という具合です。これは複数の著者の間で一致している見解ということですから、正しい知識と見なしてよいでしょう。

裏を返せば、「5冊中4冊に書かれていることが書かれていない本」「5冊中4冊には書かれていないことが書かれている本」「5冊中4冊とはまったく異なることが書かれている本」は、正しい事実や知識が書かれていないトンデモ本の可能性が高いといえます。

漁にたとえると、正しい知識は価値のある魚です。トンデモ知識は雑魚（ざこ）です。知識習得とは広く網を投げながら、価値のある魚だけをすくい上げるようにして、少しずつ蓄積していくものといってよいでしょう。

自分の意見を強化して、議論力を高めるには、正しい事実と知識の習得が欠かせません。それには、トンデモ本を避けて、良書を選ぶことが第一のポイントになります。

まとめ

- **本は、体系づけられた知識情報（事実）が1冊にまとまっている。**
- **「最初に手に取る本」を1冊に絞らないこと。**
- **複数の著者の間で一致している見解を正しい知識と見なす。**

たしかな知識、正しい事実を得る方法

本は動画よりも時間効率がよい

幅広い事実や知識に触れるための読書は、もともと興味のあることだけでなく、今まで手に取ることのなかったジャンルの本にも触れるようにしていきます。

「それならYouTubeなどのネット動画を見ている」と言う人もいるかもしれません。

たしかに今は、インターネットでさまざまな知識・教養系の動画が配信されていますが、そもそも「目で見て耳で聞いたことを頭に入れる」よりも「読んだことを頭に入れる」ほうが圧倒的に時間効率がよく、かつ習得しやすいというのが私の実感です。

動画は、最初から最後まで見なければ全貌がつかめません。すでに知っていることが語られている間も待たなくてはなりません。でも本なら、パラパラとページをめくって「自分が知らないところだけ」「必要な知識だけ」を拾い読みすることができます。

最近、動画の倍速視聴が流行っていますが、早送りの視聴も、やはり「読む」スピードにはかないませんし、本は、ざっと目を通しながら重要なページに付箋などで印をつけておき、あとでじっくり読むことで頭に入れるという方法もあります。学習ツールとしても優れています。

ただ、配信動画のなかにもクオリティが高いものがあるので、私は「文字起こし機能」を使って動画の音声を文字に変換し、それを読むこともあります。もちろん、そのときも「知らないところ」「必要な知識」を重点的に拾い読みします。

事実を知るために新聞を読む

時事問題に関して事実を知りたいときには、新聞が一番です。

「新聞はもうオワコン（終わったコンテンツ）」などと揶揄されることもありますが、それは極端な意見でしょう。

プロの記者が調べて書いたものは大半が信頼に値するものです。記事は記者個人だけのものでなく、デスクを含めた多くの人の意見の集合体ですから、誤報はほとんどありません。

また新聞では、公的に評価が定まったものについては「確定した事実」として報じられ、評価が定まっていないものについては、独自の評価を踏まえた「事実の解釈」として報じられます。その区別もわかりやすくなっています。読者は、「事実」と「解釈」を混同することが避けられます。

このように、多くの目を通して整理され、極力、誤解が生じないように細心の注意を払ってつくられているのが新聞というメディアなのです。

ただし新聞をつくっているのも人間ですから、新聞社のスタンスによって報じ方のニュアンスが違う場合もあります。誤報も絶対ないとはいえません。1社のスタンスに偏った事実認識にならないよう、できれば複数の新聞に目を通すことが大切です。

虚偽の投稿を見抜く

今は優れた翻訳ツールのおかげで、ニュースなどを知るときに言語のハードルはほぼ取り払われています。

ネット検索と翻訳ツールを使えば、ひと昔前まで外国語に堪能な一部の人しか読めなかった、海外から発信された外国語の記事や論文にも容易にアクセスし、読むことができます。

サイエンス系の論文は英語で書かれたものが圧倒的に多いのですが、翻訳ツールがあるおかげで、英語が苦手な人も読めるようになりました。その気になれば一次資料に当たることも可能です。

ただし、ネット検索を行うときには注意が必要です。

新型コロナウイルスのパンデミック以降、SNSではしばしば、「海外の有力サイエンス誌に、こんな論文が載っている」という虚偽の、あるいは誤読、誇張された投稿が見られるようになってきているからです。

優れた情報ツールを活用する

本か動画か

動画

見て聞いたことを頭に入れる

本

読んだことを頭に入れる

本を読むほうが圧倒的に時間効率がよく習得しやすい

新聞を読む

時事問題に関して事実を知りたいときは新聞を読む

プロの記者が取材して書いたものは大半が信頼に値する

「事実」と「解釈」を混同することが避けられる

インターネットを活用する

ネット検索と翻訳ツールを使って海外の記事や論文を読む

ＳＮＳだけを情報源としている人は、簡単に騙されてしまうでしょう。しかし自ら調べる意識と少しの行動力があれば、海外の論文などで一次資料を確かめることができるのです。

海外情勢や国際問題の海外での報じられ方をチェックするために、ＳＮＳで主要海外メディアのオフィシャルサイトをフォローするのもおすすめです。

ネガティブな面が取り沙汰されることも多いＳＮＳですが、これもやはり使いようです。フォローする先をきちんと選べば、良質な情報が向こうから飛び込んでくる優れた情報収集ツールとして活用できます。

まとめ

- **ネット動画の視聴よりも読書のほうが時間効率がよい。**
- **時事問題の事実を知るにはプロが調べて書いた新聞がよい。**
- **ネット検索と翻訳ツールを使えば、海外の記事や論文にも容易にアクセスできる。**

ネットは「賢者をより賢く」「愚者をより愚かに」するツール

「○○さんも言っている」を鵜呑みにしない

インターネットには、本にはないメリットがあります。

最大のメリットは、「わからないこと」を先送りにしなくてよくなったことでしょう。たいていのことは手元にあるスマホで検索すれば瞬時に調べがつきます。また先にも触れましたが、海外の記事を瞬時に翻訳してくれる機能も、最近ではかなり精度が上がっています。

これらの点においてインターネットは非常に便利で、現代人に欠かせないツールになっています。要は便利なものほど使い方次第ということです。

インターネットには、優秀な人をより優秀に、優秀でない人をより優秀でなくするという性質があります。簡便なネット検索が当たり前になることで、さらに詳細に深掘りして調べていく賢者と、ネット検索だけでわかった気になる愚者が、両極端になってきたのではないでしょうか。

以前の愚者は調べることもしなかったのですから、愚者は愚者のままで終わったのですが、今は「○○さんも言っている」という、詭弁の一種である「他人の言説」を鵜呑みにして語る愚者が増えているのがとても気になります。

数で事実は決まらないというのは、この本でもすでに述べたとおりですし、「他人の言説」が正しいとはかぎりません。愚者同士が褒め合っているだけなのに、愚者本人は、そのことに気づいていないことが大問題です。

エコーチェンバー病に注意

インターネットには、個人の普段の検索や消費の傾向に合わせて情報や広告を表示させるアルゴリズム（手順や計算方法）があります。

そのため、こうした「インターネットの仕組みを知らない人」や、「知りたいことだけを調べる人」には、「検索アシスト」や、興味ある「ニュース表示」「広告表示」などを通じて、偏った情報しか入ってこない状態になります。意識しなければ、どんどん視野が狭くなる「エコーチェンバー」の状況に陥ってしまう危険があります。

エコーチェンバーとは、自分の声があらゆる方向から増幅されて返ってくる「反響室」を意味し、転じて、インターネットのSNSその他に自分と似た意見をもった人々が集まり、自分の意見が相手に肯定されることで、自分の意見が正解であるかのごとく勘違いしていく現象をいいます。ネット検索にはその危険性があり、陰謀論に陥る危険性すらあります。

インターネットのこのような仕組みを知らない高齢者の間では、表示されるニュースが「その人が興味をもつニュース」というアルゴリズムで操作されていることに気づかず、エコーチェンバー病が増えているとも言われています。そのうえ、今の愚者は「発信できる愚者」でもあり、そのため愚者同士が集団化し、ますます「エコーチエンバー病」が加速し、ネット上にまん延するという素地があります。

逆に、日ごろから幅広い知識情報を求めている人にとっては、インターネットは、以前とは比較にならないほど幅広い知識情報に瞬時に触れられる便利ツールとなっており、インターネットは、ますます賢者を賢くしているのも事実です。

エコーチェンバー現象は、情報を収集するのはインターネットからだけという、新聞もテレビも見ない人たちにおいてはとくに要注意です。インターネットの仕組みに注意して、次項で述べる「異なる価値観の人」と交流するなどの「愚者」に陥らないノウハウも知っておくべきでしょう。

まとめ

- **ネットは賢者をより賢く、愚者をより愚かにする。**
- **ネット上の「他人の言説」を鵜呑みにしてはいけない。**
- **エコーチェンバー病に陥らないよう、新聞やテレビからも情報を得る。**

「異なる価値観の人」と交流する

「心地よい人とつき合う」ことのデメリット

議論力を高める原泉となる、事実と知識を習得するためには「人と話すこと」も必要です。考え方は読書と同じで、とにかくいろいろな人と交流することです。

プライベートの人づき合いでは、「一緒にいて心地よい人」と多くの時間を過ごしがちな人が多いと思いますが、そんな人こそ、今後は努めて多種多様な人とつき合うように心がけてください。

エコーチェンバーになるのはインターネット空間だけではありません。自分と感覚や価値観が似ている人、いつも聞こえがよいことを言ってくれる人と過ごすのは気持ちがよいものですが、そういう人とだけつき合っていると、どんどん視野狭窄に陥っていきます。

世の中の事実や知識の疑似体験は「人」を通じて体験できるものでもあります。にもかかわらず、いつも決まった人とだけつき合うのは、それだけ疑似体験のチャンネルを減らしてしまうということ。知的刺激を受ける機会も少なくなるでしょう。結果として、狭い世界の尺度でしか物事を考えられなくなり、偏った意見の持ち主になってしまうのです。

心が疲れているときなどは、とにかく自分の味方になってくれる人と一緒に過ごしたいものです。それはよいのですが、時間は誰にとっても有限です。1日24時間、1年365日のうち、他者と一緒に過ごせる時間はどれほどでしょうか。

そのかぎられた時間で、どれくらいいろいろなタイプの人間と過ごせるかによって疑似体験の幅が決まり、さまざまな価値観に対する理解度、理解しようとする意識に違いが生まれ、ひいては習得する議論力に大きな差が生じます。

「違和感がある人」とあえて対話する

弁護士という職業に就いていると、日ごろ「先生、先生」と呼ばれ、頼られるために、自分の立場を勘違いしがちです。

後輩、法律の知識がない人たち、人生経験の少ない若者などとつき合うのは、自分が話の主役に立てることから、楽なことだと思います。この点は誰にとっても同様ではないでしょうか。

ですから私の事務所にいる弁護士にはつねづね、「自分より立場が上の人」「自分よりいろいろなことを知っている人」「自分が教える側ではなく教わる側に立てるような人」「目標となるような人」と積極的につき合うように伝えています。さまざまな専門家に意見を仰ぐ姿勢も重要です。

自分より下の人に教えるよりも、自分より上の人に教わるほうが、自分が成長できるに決まっているからです。

みなさんも、議論力を磨いていきたいのなら、同時に、あえて「一緒にいて心地よくない人」と日頃からつき合う意識をもってください。

一緒にいて「不愉快な人」ではなく、「心地よくない人」です。「違和感がある人」といってもよいかもしれません。話している最中に、ところどころで何かが引っかかる感じです。

相手はどうやら自分とは異なる価値観の持ち主のようで、異なる意見を言ってくる。それが単に価値観として受け入れがたいわけではなく、自分の意見に再考を求められているような感じがする――そんな緊張感のある人づき合いが、自分の思考の幅を広げてくれます。人との対話自体が、自分の幅を広げてくれる宝庫です。

まとめ

- **世の中の事実や知識の疑似体験は「人」を通じて体験できるもの。**
- **いつも決まった人とだけつき合うと、疑似体験のチャンネルを減らすことになる。**
- **「一緒にいて心地よくない人」とつき合う習慣をもつことで議論力は高まる。**

「この人はなぜこんなことを言うのか」を考える

「他人の意見」は、まず聞く

新しい意見や事実に出合ったときには、自分の意見を再考したり、事実誤認に気づいたりできるようになりたいものです。それができるかどうかは、頭の柔軟性に関わります。

幼いころからの教育や、もっといえば天性の素質もあるかもしれませんが、今からでも頭の柔軟性を身につけることは可能です。まず「人の意見を理解しようとする」という意識づけから始めましょう。

自分と異なる意見を聞いたときや、今まで考えたことすらなかったテーマに関する意見に出合ったときに、「自分とは違う」と拒否したり、「自分にはわからないから」とスルーしたりしないことが重要です。

何であれ、いったん「この人の意見を構成している理屈は何だろうか」と考えてみることが大切です。自分にも意見がある場合は、それを相手に伝えることも欠かせません。こちらが意見を発すれば、相手もまた何かしらの意見を返してきます。

ここで初めて対話が生まれます。

頭の柔軟性とは、「人の意見を聞き、自分の意見を発する」という日常的なコミュニケーションのなかで高まるものなのです。

それが考えを深めることにつながります。思考力が上がって、自ずと議論力も磨かれるというわけです。

「違和感がある意見」の理屈を考えてみる

先にインターネットから安易に情報を得ることのデメリットについて述べましたが、SNSは、他者の意見を構成している理屈を考えるトレーニングにも使えます。

さまざまな意見に柔軟に対応する

自分と異なる意見、考えたことのないテーマに出合う

↓

「意見を構成している理屈は何だろうか」と考える

↓

意見を発すれば、相手も何かを返してくる

↓

対話が生まれる

↓

思考力が上がって議論力も磨かれる

一考するにも値しないような罵詈雑言、誹謗中傷、いわゆる「クソリプ」の類いもあるものの、SNSはまさしく多種多様なものの見方・考え方の巣窟です。いろいろな意見の理屈を考えてみるための格好のトレーニング場といってよいでしょう。

私自身、SNS上の突拍子もない意見にびっくりしながらも、その人の理屈や意見の背景を考えてみることがあります。

SNSでさまざまな意見を知って、それに対して自分はどのような意見をもつか、他者と意見を交わす前にシミュレーションをするのもよいでしょう。

「こちらがこう言ったら、あちらはこう言ってくるだろう」といったシミュレーションは、ディベートの大会ではその準備に必須の作業ですが、相手を言い負かすためだけではなく、さまざまな意見に耳を傾けるトレーニングとしても有効です。

自分の意見を曲げたくない。一度考えたことにこだわる。自分の認識とは違う事実には耳を閉ざす——こうした傾向があることを自覚している人はとくに、本項でお話ししてきたことを意識してください。

まとめ

- **日常のなかで「人の意見を聞き、自分の意見を発する」ことを心がけよう。**
- **SNSをいろいろな意見の理屈を考えるトレーニングの場として活用する。**
- **さまざまな意見に自分はどんな意見をもつか、議論のシミュレーションを行う。**

知ったかぶりをしない

「素人知識」を振りかざさない

人と議論するときには、正しい事実認識や知識があることは重要ですが、「ものを知らないこと」は恥ずかしいことではありません。それよりも恥ずべきことは「知ったかぶり」をすることです。

たとえば食事の席で、大して詳しくもないのにワインの蘊蓄（うんちく）を披露する人がいます。しかし、そこがソムリエのいるようなレストランだったら、ワインの知識量は確実に自分のほうが劣ります。ひょっとしたら同席者のなかに、自分よりワインに詳しい人がいるかもしれません。

相手も大人ですから、あからさまに間違いを指摘することはないでしょう。「この人、あまり知らないんだな」と密かに思うだけです。だからこそ余計に恥ずかしいのです。

ですから、私は自分がよほど精通している分野でないかぎり、専門的なテーマについては積極的に話しません。「よく知らないので教えてください」というスタンスで、聞く側に回ります。私がテレビなどに生出演した際に、芸能的なコメントをほとんどしない理由はそこにあります。

そうなると必然的に、私が知識を交えて話す専門分野は法律ということになりますが、驚いたことに、弁護士でも専門家でもない法律の素人が、法的な話で私に挑んでくることがあります。

いわく「紀藤は法律がわかっていない」「紀藤はこういう判例があることを知らない」などなど……。おもにSNSでのことです。

「そういうあなたは、どういう人なんですか？」と思って、試しにプロフィールを見ることもあるのですが、その当人が法律の専門家であったということはほとんどありません。要するに素人知識を振りかざし、一方的に絡んでいるわけです。

ただの炎上屋なのかもしれませんが、もし確信的にこのような発言をしているとすれば、議論の何たるかを知らない無知な人と言うほかありません。本書の読者のみなさんには、そんな恥ずべき行為に走ってほしくないと思っています。

謙虚な姿勢で学ぶ

知らないことは恥ずかしいことではない。知ったかぶりをするほうが、よほど恥ずかしい――そんなことは百も承知と思った人もいるかもしれませんが、意外と無自覚に、にわか知識だけで知ったようなことを言ってしまいがちです。

この広い世界には自分が十分に知らないことのほうが多くて当たり前という意識があれば、そんな失敗は避けられるでしょう。事実や知識、もっといえば世界に対して謙虚な姿勢を失わないようにしてください。

議論力は、一朝一夕で身につくものではありません。

座学の次は実学であり、実学の成果はひとえに場数にかかっています。第2～3章で学んだ三段論法の技法や議論の心得を、ぜひ、どんどん実際の議論の場で実践していってください。

そして最終章である第4章でお話ししたことは、今後、議論の場数を踏む道程で鍛えられていく議論力の研磨剤のようなものです。

情報（事実）との向き合い方、知識習得の手法、インターネット（SNS）とのつき合い方、人と相対する際の心得──こうした日常のすべてを通じて、議論力を磨いていきましょう。

まとめ

- **謙虚な姿勢で新しい事実や知識を得て、議論力を高めていく。**
- **三段論法の技法や議論の心得を、どんどん実際の議論の場で実践していく。**
- **日常体験を通して議論力を磨いていこう。**

おわりに

本書は、インターネット時代にますます必要となる「議論力」を高めるために書いた本です。

私は日ごろから、消費者被害や宗教被害などの被害者救済案件を扱う弁護士として、メディア等でコメントを求められることも多いのですが、弁護士が何度も訴えてきたことが、たった1人の被害者の顔出しの記者会見によって世の中が大きく動く、「理屈」よりも「事実」の重みのほうがよほど世界を動かしていく原動力になるという現場をしばしば見てきました。

他方、本書の内容は、人を説得するための技術の説明でもあります。一歩間違えば、悪用されかねない技術ともいえます。社会問題となっている「マインド・コントロール」と紙一重の技術でもあり、私はこれまで、「説得する方法」をいわば「技術」として公開することには一片の躊躇を覚えてきました。

しかしインターネットの時代にあって、メディアやSNS等にあふれる玉石混淆の情報のなかで、何が善で何が正しいかを読者が見極めるためには、「理屈」のもつ意味や功罪を正確に理解していただく必要があるのではないかとも考えました。

これまで日本人は「議論が苦手」と言われてきました。そうであるなら「議論力」を国民ひとりひとりが身につけることが、悪質業者やカルト的団体からの「マインド・コントロール」や「詐欺」、そして「デマ」や「陰謀論」から身を守り、ひとりひとりが大切にされる社会の実現につながるのではないか。そういう思いを込め、本書は『議論の極意』と名づけさせていただきました。

本書を世に出していただいた出版社のSBクリエイティブ株式会社、多忙ななか、本書の執筆をお手伝いくださった福島結実子氏、そしてSBクリエイティブ株式会社編集部の小倉碧氏の両氏には大変お世話になりました。深く感謝をいたします。

最後に、より詳細に「マインド・コントロール」や「カルト」問題についてお知りになりたい方は、拙著『マインド・コントロール』、そして続編の『カルト宗教』(いずれもアスコム)も、あわせてご覧いただければ、筆者としては幸甚の極みです。

紀藤正樹

2023年9月

議論力トレーニング問題解答集

◆議論力トレーニング1——大前提と小前提から「結論」を考える（92ページ）

問題①

今日は傘が必要だ

問題②

結論　Aさんは熱中症になる危険性が高い（ので、水分補給をしたほうがよい）。

問題③

結論　Bさんには誕生日がある

◆議論力トレーニング2——「大前提」と「小前提」を類推する（98ページ）

問題④

すべての芸術家は創造的である

※「すべて」と極端な価値観が大前提の基本となっており、これが違和感を感じさせることにな

りますが、「一般に芸術家は創造的である」という答えもありえますので、その後の議論を通じて、話者が極端な見解をもつ人か、一般論で評論しているだけの話なのかを注意深く見分けていくことになります。

もし、前者だとしたら、注意したほうがよさそうな話者だと想定できます。

問題⑤

大前提 首都圏ではエスカレーターの右側を空ける

※知識がなくても答えが出せる大前提だということもできますが、関西ではエスカレーターの左側を空けるという大前提を知っている人から見れば、知識が推認をより容易にさせる例であるともいえます。

問題⑥

小前提 Iさんは東京で電車に乗った

問題⑦

Lさんは北国に住んでいる

問題⑧

小前提　Oさんは右ハンドルの車を所有している

◆議論力トレーニング3——合意形成に導く（106ページ）

問題⑨

1．プロジェクトの優先順位についての議論

①社員aの論理

大前提　競合他社に先駆けて市場を獲得できるよう、短期的な収益性の高いプロジェクトにリソースを割くべきである

プロジェクトAは短期的収益性が高いと考えられる

プロジェクトAにリソースを割く

②社員bの論理

企業の長期的な成長と競争力の強化につながるプロジェクトにリソースを割くべきである

プロジェクトBは企業の長期的な成長と競争力の強化につながる

結論 プロジェクトBにリソースを割く

③対立ポイント

☑大前提
□小前提

④合意形成ポイント

短期的収益性と長期的収益性は両方とも重要であり、どちらか一方だけにリソースを割くのではなくバランスが重要である（大前提で互いに譲歩）。よってプロジェクトAとプロジェクトBの優先度を再評価してリソースを再分配することで合意。

問題⑩

2. 社員の勤務時間についての議論

①社員の論理

大前提 社員の生産性向上、仕事とプライベートのバランスは重要である

小前提 柔軟な勤務時間は、社員の生産性を向上させ、仕事とプライベートのバランスもよくする

結論 柔軟な勤務時間制度を導入する

②上司の論理

大前提 社員の生産性向上、仕事とプライベートのバランスは重要である

小前提 柔軟な勤務時間により仕事とプライベートのバランスはよくなるが、チーム内のコミュニケーションが減少し、情報やアイデアの共有が不十分になることでプロジェクトの進行に支障をきたす可能性がある

柔軟な勤務時間制度は導入しない

③対立ポイント

□大前提
☑小前提

④合意形成ポイント

上司から「導入コスト」という新しい小前提が提示されたため、社員が見積もりを出し、コスト検証の結果、妥当性が見出されれば、柔軟な勤務時間制度を試験的に導入することで合意。

問題⑪

3．賃貸契約の更新についての議論

①不動産仲介業者の論理

大前提　賃貸物件の更新料および家賃は、現在の家賃水準に応じて決定するべき

小前提　現在、家賃水準は下がっている

結論　更新料および家賃を下げる

②大家の論理

大前提　更新料および家賃は現在の家賃水準に応じるのではなく、今までの金額に準ずるべき

小前提　今までに一度も更新料および家賃を値上げしたことはない

結論　今回も更新料および家賃を下げない

③対立ポイント

☑大前提

□小前提

④合意形成ポイント

大家から「修繕や管理に力を入れている」という新しい小前提が出されたが、不動産仲介業者は「それでも現在の家賃水準は考慮すべき」と譲らず、大家から「更新料は値下げ、家賃は据え置き」という折衷案が出されて合意。

著者略歴

紀藤正樹（きとう・まさき）

リンク総合法律事務所所長。弁護士（第二東京弁護士会所属）。1960年、山口県宇部市生まれ。大阪大学法学部卒。同大学院博士前期課程修了。法学修士。日本弁護士連合会消費者問題対策委員会幹事を92年からつとめ、「ダイヤルQ2部会」「宗教と消費者部会」「電子商取引部会」「消費者行政部会」などの担当副委員長、委員等を歴任。警察庁「ストーカー行為等の規制等の在り方に関する有識者検討会」委員、法務省「法務・検察行政刷新会議」副座長、不当寄附勧誘防止法制定のきっかけとなった消費者庁「霊感商法等の悪質商法への対策検討会」委員もつとめた。元第二東京弁護士会消費者問題対策委員会委員長。一貫して、一般の消費者被害はもちろんのこと、宗教やインターネットにまつわる消費者問題、被害者の人権問題、児童虐待問題などに精力的に取り組んでいる。

SB新書　632

議論の極意

どんな相手にも言い負かされない30の鉄則

2023年10月15日　初版第1刷発行

著　　者　紀藤正樹
発 行 者　小川 淳
発 行 所　SBクリエイティブ株式会社
〒106-0032　東京都港区六本木2-4-5
電話：03-5549-1201（営業部）
装　　丁　杉山健太郎
本文デザイン・DTP　株式会社キャップス
構　　成　福島結実子（アイ・ティ・コム）
編集協力　大屋紳二（ことぶき社）
編　　集　小倉 碧（SBクリエイティブ）
印刷・製本　大日本印刷株式会社

本書をお読みになったご意見・ご感想を下記URL、
または左記QRコードよりお寄せください。
https://isbn2.sbcr.jp/20172/

落丁本、乱丁本は小社営業部にてお取り替えいたします。定価はカバーに記載されております。
本書の内容に関するご質問等は、小社学芸書籍編集部まで必ず書面にて
ご連絡いただきますようお願いいたします。
©Masaki Kito 2023 Printed in Japan
ISBN　978-4-8156-2017-2

SB新書

親の何気ない言葉がけが子どもの脳を壊す！
その「一言」が子どもの脳をダメにする
成田奈緒子
上岡勇二

海外のトップ頭脳も予測した！最新テクノロジーによる2030年の世界
世界最高峰の研究者たちが予測する未来
山本康正

習慣を見直せば「一生見える目」は手に入る！
眼科医が警告する視力を失わないために今すぐやめるべき39のこと
平松類

監督が信頼するブルペン捕手が見た一流の姿
超一流の思考法
鶴岡慎也

日本人の7人に1人！「普通」でも「知的障害」でもないはざまの子どもたち
境界知能の子どもたち
宮口幸治

地理的視点で世界情勢が見えてくる！
現代史は地理から学べ
宮路秀作

知らず知らずに偏ってしまう子育ての危険性
犯罪心理学者は見た危ない子育て
出口保行

スタンフォードが教える子育ての正解
「ダメ子育て」を科学が変える！全米トップ校が親に教える57のこと
星 友啓

日本人なら知っておきたい、一生モノの教養
20歳の自分に教えたい日本国憲法の教室
齋藤 孝

植物は死なない!?植物学者が思索する生命論
植物に死はあるのか
稲垣栄洋

SB新書

「気のきいた会話」で、仕事も人生も好転する！ 誰とでも会話が楽しくなる秘訣を教えます
気のきいた会話ができる人だけが知っていること
吉田照幸

グレーゾーンの生きづらさを乗り越える最新アプローチ
発達障害「グレーゾーン」生き方レッスン
岡田尊司

誰もが知る京都の定番名所の知られざる物語と愉しみ方
歩いて愉しむ京都の名所
柏井壽

累計15万部突破シリーズ地政学編！ ウクライナ情勢などの世界情勢に斬り込む！
ニュースの〝なぜ？〟は地政学に学べ
茂木誠

日本と世界の成り立ちや思惑を読み解ける！ いちばんやさしい地政学の入門書
20歳の自分に教えたい地政学のきほん
池上彰＋「池上彰のニュース そうだったのか!!」スタッフ

SB新書

マサイ族をも虜にする「コミュ力おばけ」の社交術
無神経の達人
千原せいじ

〝怪物〟が語る現役時代、そして令和の巨人軍
巨人論
江川 卓

オタキングが読み解く宮崎駿のジブリ作品
誰も知らないジブリアニメの世界
岡田斗司夫

日常の英会話はだいたい3語で済んでいる
日本人が思いつかない3語で言える英語表現186
キャサリン・A・クラフト

憧れのフランス語が、たのしく学べる！
フランス語をはじめたい！
清岡智比古